BILBO

Collection dirigée par
Stéphanie Durand

Du même auteur chez Québec Amérique

Jeunesse

SÉRIE NOÉMIE

Noémie 21 - Papa Dracula!, coll. Bilbo, 2011.
Noémie 20 - Les Grandes Paniques, coll. Bilbo, 2010.
Noémie 19 - Noémie fait son cinéma!, coll. Bilbo, 2009.
Noémie 18 - La Baguette maléfique, coll. Bilbo, 2008.
Noémie 17 - Bonheur à vendre, coll. Bilbo, 2007.
Noémie 16 - Grand-maman fantôme, coll. Bilbo, 2006.
Noémie 15 - Le Grand Amour, coll. Bilbo, 2005.
Noémie 14 - Le Voleur de grand-mère, coll. Bilbo, 2004.
Noémie 13 - Vendredi 13, coll. Bilbo, 2003.
Noémie 12 - La Cage perdue, coll. Bilbo, 2002.
Noémie 11 - Les Souliers magiques, coll. Bilbo, 2001.
Noémie 10 - La Boîte mystérieuse, coll. Bilbo, 2000.
Noémie 9 - Adieu, grand-maman, coll. Bilbo, 2000.
Noémie 8 - La Nuit des horreurs, coll. Bilbo, 1999.
Noémie 7 - Le Jardin zoologique, coll. Bilbo, 1999.
Noémie 6 - Le Château de glace, coll. Bilbo, 1998.
Noémie 5 - Albert aux grandes oreilles, coll. Bilbo, 1998.
Noémie 4 - Les Sept Vérités, coll. Bilbo, 1997.
Noémie 3 - La Clé de l'énigme, coll. Bilbo, 1997.
Noémie 2 - L'Incroyable Journée, coll. Bilbo, 1996.
Noémie 1 - Le Secret de Madame Lumbago, coll. Bilbo, 1996.
    • **Prix du Gouverneur général du Canada 1996**

Moi, Noémie et les autres, coll. Bilbo, 2009
Ma meilleure amie, coll. Album, 2007.
    • **Prix du Gouverneur général du Canada 2008 - Illustrations**
    • **Prix Alvine-Bélisle 2008**

La Nuit rouge, coll. Titan, 1998.

SÉRIE PETIT BONHOMME

Le Corps du Petit Bonhomme, coll. Album, 2005.
Les Images du Petit Bonhomme, coll. Album, 2003.
Les Chiffres du Petit Bonhomme, coll. Album, 2003.
Les Musiques du Petit Bonhomme, coll. Album, 2002.
Les Mots du Petit Bonhomme, coll. Album, 2002.

SÉRIE PETIT GÉANT

Le Dernier Cauchemar du petit géant, coll. Mini-Bilbo, 2007.
Le Grand Ménage du petit géant, coll. Mini-Bilbo, 2005.
Le petit géant somnambule, coll. Mini-Bilbo, 2004.
Les Animaux du petit géant, coll. Mini-Bilbo, 2003.
Le Camping du petit géant, coll. Mini-Bilbo, 2002.
L'Orage du petit géant, coll. Mini-Bilbo, 2001.
La Nuit blanche du petit géant, coll. Mini-Bilbo, 2000.
La Planète du petit géant, coll. Mini-Bilbo, 1999.
Les Voyages du petit géant, coll. Mini-Bilbo, 1998.
La Fusée du petit géant, coll. Mini-Bilbo, 1998.
L'Hiver du petit géant, coll. Mini-Bilbo, 1997.
Les Cauchemars du petit géant, coll. Mini-Bilbo, 1997.

Adulte

Les Parfums d'Élisabeth, coll. Littérature d'Amérique, 2002.
Le Mangeur de pierres, coll. Littérature d'Amérique, 2001.

Noémie

Les 22 fins du monde !

Catalogage avant publication de Bibliothèque et Archives nationales du Québec et Bibliothèque et Archives Canada

Tibo, Gilles
Les 22 fins du monde!
(Noémie; 22)
(Bilbo; 193)
Pour enfants.
ISBN 978-2-7644-1323-4 (Version imprimée)
ISBN 978-2-7644-2261-8 (PDF)
ISBN 978-2-7644-2260-1 (EPUB)
I. Laliberté, Louise-Andrée. II. Titre. III. Titre: Vingt-deux fins du monde!. IV. Collection: Tibo, Gilles. Noémie; 22. V. Collection: Bilbo jeunesse; 193.
PS8589.I26V56 2012   jC843'.54   C2012-941434-4
PS9589.I26V56 2012

| | Conseil des Arts du Canada | Canada Council for the Arts | SODEC Québec |

Nous reconnaissons l'aide financière du gouvernement du Canada par l'entremise du Fonds du livre du Canada pour nos activités d'édition.

Gouvernement du Québec – Programme de crédit d'impôt pour l'édition de livres – Gestion SODEC.

Les Éditions Québec Amérique bénéficient du programme de subvention globale du Conseil des Arts du Canada. Elles tiennent également à remercier la SODEC pour son appui financier.

Québec Amérique
329, rue de la Commune Ouest, 3ᵉ étage
Montréal (Québec) H2Y 2E1
Téléphone: 514 499-3000, télécopieur: 514 499-3010

Dépôt légal: 3ᵉ trimestre 2012
Bibliothèque nationale du Québec
Bibliothèque nationale du Canada

Projet dirigé par Geneviève Brière
Révision linguistique: Émilie Allaire et Chantale Landry
Mise en pages: François Hénault
Conception graphique: Célia Provencher-Galarneau

Imprimé au Canada

GILLES TIBO

Noémie
Les 22 fins du monde !

ILLUSTRATIONS DE LOUISE-ANDRÉE LALIBERTÉ

Québec Amérique

-1-

Mauvais départ

Ce matin, je me réveille dans mon lit tout chaud. Je m'étire de bonheur en pensant à ma belle grand-maman Lumbago. Je bâille de plaisir en songeant à mes parents. Je souris en rêvant à mes amies. Et puis soudain, en imaginant toutes les belles et bonnes choses qui vont m'arriver aujourd'hui, j'ouvre les yeux.

Je sursaute devant mon cadran.

HORREUR! NON! CE N'EST PAS VRAI! L'école commence dans dix minutes. Mes parents ne m'ont pas réveillée!

Je bondis hors de mon lit, me rends à la cuisine, constate qu'il n'y a personne, rebrousse chemin et me précipite vers la chambre de mes parents.

Ils dorment à poings fermés.

En une fraction de seconde, je comprends tout. Hier, mes

parents ont acheté un nouveau réveille-matin numérique. Mon père l'a mal programmé. Il n'a pas sonné ce matin. Donc, mes deux parents dorment encore. Donc, ils arriveront en retard à leur travail. Donc, ils rateront des rendez-vous importants. Donc, ils seront de mauvaise humeur pendant toute la journée et peut-être pendant toute la semaine et peut-être pendant toute l'année. Et qui sera la pauvre victime de leur mauvaise humeur ? Moi, Noémie !

Pour ne pas affoler mes parents avec un réveil trop brutal, je décide d'employer une méthode douce… Je me penche vers mon père pour lui murmurer à l'oreille :

— Bonjour, mon petit papa d'amour… Ici ta gentille fille,

Noémie, qui t'annonce que le nouveau cadran n'a pas sonné… Tu seras en retard au bureau…

Alors que je m'attends à des cris, des sursauts, des hurlements, mon père ne bronche pas. Il dort comme une bûche.

Je contourne le lit, m'approche de ma mère, me penche et lui chuchote à l'oreille :

— Bonjour, ma belle petite maman d'amour. Ici ta merveilleuse fille, Noémie, qui t'annonce que tu rateras des rendez-vous importants ce matin…

Au lieu de se réveiller en hurlant «QUOI! AH NON! PAS VRAI?», ma mère se recroqueville et se met à ronronner. Je n'en reviens pas. Je reste debout devant mes parents endormis et je ne sais plus que faire.

Je regarde les chiffres lumineux du nouveau réveille-matin. Le temps file. Le temps passe. Le temps presse. Je dis, assez fort pour réveiller les deux endormis :

— Le cadran n'a pas sonné ! Vite, levez-vous !

Mes parents ne réagissent pas.

Je place mes mains en porte-voix :

— RÉVEILLEZ-VOUS ! LE NOUVEAU CADRAN N'A PAS SONNÉ !

Aucune réaction de mes parents. En imaginant leurs rendez-vous manqués, leurs réunions reportées, leurs airs dépités, je gonfle mes poumons au maximum, je repose mes mains en porte-voix, puis, de toutes mes forces, je hurle à tue-tête :

—RÉVEILLEZ-VOUS ! VOUS ÊTES EN RETARD !

Aucune réaction.

Étrange, très étrange.

Je me penche vers mon père pour vérifier s'il est encore… Pour vérifier s'il n'est pas… Oui, il respire ! Ma mère aussi !

En les regardant dormir, il me vient un doute, un petit doute. J'ai besoin de vérifier quelque chose. Je me rends à la cuisine pour consulter le calendrier et, effectivement, il n'y a pas d'erreur, nous ne sommes pas un samedi ou un dimanche. Nous sommes bel et bien un jeudi, un jour de semaine, donc mes parents seront effectivement en retard au travail. Il ne reste qu'une solution. Je m'approche du comptoir. Je saisis une grosse cuillère de métal. Ensuite, je fouille dans le tiroir caché sous la cuisinière et je m'empare d'un immense chaudron. Ainsi armée, je retourne dans la chambre de mes parents qui roupillent comme deux bébés.

Afin de ne pas créer de panique inutile, je murmure une dernière fois :

—Chers parents, réveillez-vous !

Comme ils ne réagissent toujours pas, je prends mon élan, j'ouvre les deux bras, puis, de toutes mes forces, je commence à frapper la cuillère de métal contre le chaudron. CLANG ! CLANG ! CLANG !

D'un coup sec, comme s'ils venaient de recevoir un choc électrique de cent mille volts, les cheveux de mes parents se dressent sur leur tête. Leurs yeux s'écarquillent. On dirait qu'ils vont sortir de leurs orbites. En même temps, leurs bouches s'ouvrent tellement grandes que je vois tous leurs plombages. Les poings serrés, ils s'écrient en même temps :

—HHHHIIIIIIII !!!!!!

—HHHHIIIIIIII !!!!!!

Propulsés par des ressorts invisibles, ils s'élèvent au-dessus du matelas en gesticulant comme des fous. Il y a des bras, des jambes et des mains partout. Les draps revolent dans tous les coins de la chambre. Mon père fait une pirouette dans les airs. Ma mère, un peu moins habile avec son corps, se retrouve sens dessus dessous, empêtrée dans sa jaquette de nuit.

Pendant que mes parents halètent comme s'ils venaient de courir le cent mètres aux Jeux olympiques, moi, je murmure de ma voix la plus douce :

— Excusez-moi de vous réveiller ainsi, mais je crois que le nouveau réveil n'a pas sonné !!!

En criant «QUOI?», mon papa se lève d'un bond. Il s'empare de l'appareil et, complètement enragé, il appuie fébrilement sur tous les boutons qui se présentent sous ses doigts. Au bout de quelques secondes, nous sursautons en écoutant le réveil qui lance une incroyable suite de BIP! BIP! BIP! Mon père appuie encore une fois sur tous les boutons de l'appareil, mais il est

incapable de l'éteindre. BIP! BIP! BIP!

BIP! BIP! BIP!

Mon cher papa, à bout de patience, lance le réveil dans la poubelle près du lit. Mais on croirait que la poubelle de métal sert d'amplificateur. Le BIP! BIP! BIP! résonne encore plus fort. Les chiffres lumineux se mettent à clignoter et à lancer des lumières rouges dans tous les sens. Mon père ramasse le réveil dans la poubelle. BIP! BIP! BIP! Il essaie, encore une fois, de l'éteindre. Rien à faire. Il est détraqué. La sonnerie hurle comme une sirène de pompier et les lumières clignotent de plus en plus vite.

Mon père, les dents serrées, répète un juron que je n'ai pas le droit d'avoir entendu. BIP!

BIP! BIP! Dans un geste théâtral et désespéré, il prend la position d'un joueur de base-ball qui veut lancer sa balle le plus loin possible. Mais en face, il n'y a pas de champ, il n'y a que le mur de la chambre. Ma mère crie:

— François, ne fais pas ça!

BIP! BIP! BIP! Alors mon père lance le cadran par terre. BADANG! CRAC! L'appareil se brise et, emporté par l'élan, il se retrouve sous le lit. Et là, il se produit un curieux phénomène. On croirait qu'il sonne encore plus fort. Les lumières rouges clignotent à toute vitesse. Le lit, éclairé par en dessous, ressemble à un vaisseau spatial. BIP! BIP! BIP!

Ma mère, qui a réussi à se pêtrer de sa jaquette, fouille us le lit, s'empare du réveil, appuie elle aussi sur tous les boutons, mais ne réussit qu'à s'énerver encore plus. Les mâchoires serrées, elle amorce un mouvement pour le lancer contre le mur. Mon père et moi, nous crions :

— NOOOON !

Complètement enragée, ma mère quitte la chambre avec le cadran. Mon père et moi, nous entendons le BIP ! BIP ! BIP ! s'éloigner. Puis nous entendons PLOUF ! Puis nous entendons un mélange de BIP ! et de PLOUF ! Ce qui donne BLOUIOUF ! BLOUIOUF ! On dirait, de loin, le bruit d'un sous-marin qui s'éloigne. Je le sais parce que j'ai vu beaucoup de films avec des sous-marins qui s'éloignent !
BLOUIOUF ! BLOUIOUF !

Ensuite, ma mère, complètement hystérique, revient dans la chambre. Sans dire un mot, mais le visage ahuri, elle s'approche de moi, s'empare de la grosse cuillère de métal, puis, comme une enragée, elle retourne en courant vers la salle de bain…

—Qu'est-ce qu'elle fait ? demande mon père avec un trémolo dans la voix.

—Je l'ignore. Mais j'ai un mauvais pressentiment !

—Comment ça, un mauvais pressentiment ? demande mon père.

—J'ai l'impression que c'est la fin du monde !

-2-

BLOUIP! CLANG!

De curieux bruits proviennent toujours de la salle de bain : des clapotis, des glouglous, des grognements accompagnés par d'autres sons que je n'arrive pas à identifier : BLOUIP! BLOUIP! CLANG! CLANG! BLOUIP! CLANG!

Mon père et moi, nous nous précipitons vers l'origine des bruits étranges et nous nous arrêtons net à l'entrée de la salle de bain. Ce que je vois est vraiment incroyable : ma mère, enragée, donne des coups de cuillère au pauvre réveil

complètement et absolument démoli dans le fond de la cuvette de la toilette.

Et là, on dirait que l'Univers se détracte. Les événements se déchaînent et se succèdent avec une telle rapidité que même moi, Noémie, j'ai de la difficulté à suivre.

Sous les coups répétés de la cuillère, le cadran finit par cesser de faire BLOUIP! BLOUIP! Tout heureuse, ma mère active la chasse d'eau. Mais le réveil, au lieu de disparaître, bloque le trou d'évacuation. Devant nos yeux horrifiés, l'eau monte et monte et monte dans la cuvette. L'eau déborde sur le plancher. Ma mère se précipite sur la première chose qu'elle voit. À quatre pattes, elle tente d'éponger le plancher avec une grande serviette. À quatre pattes aussi, mon père essaie de fermer le petit robinet derrière la toilette. Soudain, mon papa crie de rage. Le robinet semble coincé. L'eau déborde toujours sur le plancher. Ma mère continue d'éponger, mais avec deux serviettes. Mon père quitte la salle de bain et revient avec une grosse paire de pinces. Il essaie à nouveau de fermer le petit robinet. Il crie encore de rage. L'eau gicle derrière la cuvette. Mon père se relève, le pyjama tout mouillé. Ma mère lui crie :

—François ! Vite ! Vite ! Fais quelque chose ! Fais quelque chose !

Moi, je me dis :

— Ça y est… je le savais, nous venons de glisser dans la deuxième fin du monde!

Mon père, tout mouillé, tout énervé, se précipite vers le sous-sol. En fait, il ne se précipite pas vraiment, il déboule BLING ! BLANG ! BLONG ! sur chacune des marches qui mènent à la cave. Ma mère, complètement désemparée, me lance une serviette mouillée pour que je continue d'éponger. Elle quitte la salle de bain. Elle descend les marches en demandant :

— François ? Ça va ?

Mon père, que j'imagine recroquevillé au pied de l'escalier, répond d'une voix enragée :

— Oui, ça va très bien !

Le cœur battant, j'essaie d'éponger à toute vitesse, mais je ne peux pas faire de miracles. L'eau coule de partout, on se croirait en plein déluge. Mes cheveux, mouillés, défrisent à vue d'œil. Mon pyjama est imbibé d'eau jusque dans mon dos. Je commence à grelotter. Et là, il me vient une angoisse terrible. Sans même le vouloir, je pense et repense aux intraterrestres liquides, ces monstres longs et mous comme des spaghettis trop cuits qui rampent dans les égouts, qui se faufilent dans les tuyaux, et qui attendent le bon moment pour surgir. J'ai peur de voir apparaître, à tout moment, de nombreuses bestioles plus laides que les plus vilaines bibittes du cinéma.

Malgré ma peur, malgré mes mains qui tremblent et malgré le fait que je sois trempée jusqu'aux os, je continue à éponger en fermant les yeux. De loin, derrière les bruits de l'eau qui gicle, j'entends mes parents qui bardassent au sous-sol. J'entends des bruits de chaises qui tombent, des pattes de table qui grincent. Ça y est! Mes parents viennent de se faire attaquer par des intraterrestres liquides sortis tout droit de l'enfer des tuyaux!!!

Je ne sais plus quoi faire! Cesser d'éponger pour défendre mes parents et risquer que la salle de bain déborde complètement? Ou continuer à éponger en risquant que mes parents se fassent avaler par une horde d'intraterrestres assoiffés?

Au secours! À moi! La troisième fin du monde vient de commencer!

-3-

De l'eau, de l'eau, de l'eau...

Pendant que je pense à mon problème insoluble, pendant que j'essaie de trouver le moyen de me diviser en deux pour éponger et pour sauver mes parents, on dirait qu'il se passe quelque chose d'improbable. Un drôle de bruit résonne dans le réservoir de la toilette. Un curieux BLOUP! se fait entendre. Et puis, tout à coup, comme si la terre s'arrêtait de tourner et de s'énerver, l'eau cesse de gicler... La cuvette se vide toute seule. Il ne reste, au fond, que le cadran

tout démoli. Un silence implacable règne dans la salle de bain, dans la maison, dans l'Univers tout entier. Je me lève, le cœur battant, les pieds dans l'eau.

J'ai peur.

Plus rien ne bouge à part des gouttelettes qui glissent lentement, au ralenti, le long du mur. Je ne suis pas folle ! Je sais très bien ce qui se passe. Des millions de petits intraterrestres liquides vont bientôt se regrouper pour en former un gros, un énorme, qui voudra me dévorer. Et mes parents, déjà vaincus dans le sous-sol, ne pourront pas me défendre. Ce sera la fin du monde ! La quatrième, la vraie !

Un jeudi matin !

Je n'en reviens pas.

Je suis tellement perturbée et je suis tellement remplie d'eau que j'ai de la difficulté à penser, à parler. Horreur! Les intra-terrestres liquides se sont emparés de mon cerveau! Ils se sont infiltrés dans chacune de mes cellules! Ils ont pris possession de mon corps. Je suis devenue une Noémie liquide! Aquatique! Mes phrases et mes pensées deviennent flasques. J'essaie de penser à quelque chose de logique, quelque chose de solide, mais je ne vois, autour de moi, que des vaguelettes toutes molles. Les murs ressemblent à de grandes chutes d'eau salée. La baignoire est devenue une chaloupe sans rame, un sous-marin, un radeau… La cuvette ressemble à une motocyclette spatiotemporelle aquatique…

Je n'en peux plus ! Je n'en peux plus ! Pour me donner un peu de consistance, je répète mon prénom : « Noémie, je m'appelle N-eau-émie. »

Oups, c'est incroyable ! Il y a de l'eau dans mon prénom. Alors, pour tenter de me donner un peu de solidité, je répète le nom de ma grand-maman chérie d'amour en chocolat fondant. Ma grand-maman qui habite en eau… heu, en haut… avec son ois-eau… Je dis tout eau… heu, je dis tout haut :

— Grand-maman Lumbago, grand-maman Lumbag-eau.

Eau secours ! Il y a de l'eau partout, jusque dans le nom de ma grand-maman Lumbag-eau ! Je n'en reviens pas ! Je suis encerclée par de l'eau. Mon cerv-eau est plein d'eau. Je voudrais fermer les... p-eau-pières... mettre mon... cerv-eau... à... zér-eau... redevenir N-eau-émie en chair et en eau... Eau secours! Je me n-eau-oie! Il f-eau-t que cesse cette f-eau-lie!

Pour cesser de délirer, j'essaie de penser à autre ch-eau-se qu'à de l'eau. Mais c'est imp-eau-ssible, mon cerv-eau est arr-eau-sé. Il est ram-eau-lli. J'essaie de penser à eau-tre ch-eau-se. Je pense à mon sac à d'eau... à un p-eau-t-eau... à un éléphant-eau... à un gât-eau...

En essayant de faire le vide dans mon cerv... dans mon crâne, je pense et repense au prénom de ma mère... mais en pensant à ma mère, j'imagine la mer, l'océan rempli d'eau, avec les vagues, et les marées et les poissons. Je n'en peux plus. Je vais me noyer dans toute cette eau et mes oreilles résonnent encore dans ma poitrine. Je veux dire que mon cœur résonne dans mes oreilles. J'entends, encore une fois, un bruit étrange qui provient du fond de l'océan… je veux dire du fond du sous-sol. Mon corps rempli d'eau se glace tout à coup. Je me fige sur place. Je tremble comme un glaçon qui grelotte au vent.

Je ne rêve pas. Des craquements, des gémissements, des glougloutements proviennent du sous-sol. Les intraterrestres liquides sont en train de digérer mes parents. Les monstres visqueux vont bientôt monter l'escalier en rampant, puis ils vont se lancer sur moi pour me grignoter avec leurs petites dents molles et ce sera la cinquième fin du monde! La dernière! La totale!

Dans un réflexe de survie, je quitte la salle de bain. Je me précipite vers la porte du sous-sol pour la refermer à clé, mais tout à coup, au loin, en bas, j'entends ma mère crier:

—NOÉMIE!?!?

Je ne suis pas folle, je sais très bien que les intraterrestres liquides peuvent imiter la voix de n'importe qui! Je leur crie:

—Si vous êtes vraiment ma mère, donnez-moi une preuve!

Ma mère, ma vraie mère répond en hurlant comme seule ma vraie mère peut le faire:

—NOÉMIE! CESSE IMMÉ-DIATEMENT!

Je crie :

—Ouf, vous êtes encore vivants ! ? ! Voulez-vous que j'appelle la police, l'armée, l'escouade antiterroriste d'intraterrestres liquides ?

—NOÉMIE ! ARRÊTE !

Je ne comprends plus rien.

Après un court silence, elle me demande si l'eau a cessé de couler dans la cuvette.

Complètement sidérée, je crie :

—C'est fini ! L'eau ne coule plus dans la cuvette !

Et puis, comme si elle venait du fin fond d'une caverne sousmarine, la voix de mon père hurle :

—Noémie ! Ouvre le robinet de l'évier, pour vérifier !

J'obéis. J'ouvre le robinet de l'évier, puis je crie :

—Il n'y a pas d'eau dans le robinet de l'évier!

—Parfait! répond mon père. Ouvre celui de la baignoire!

J'ouvre le robinet de la baignoire.

—Il n'y a pas d'eau dans celui de la baignoire!

—Parfait! Ouvre celui de la cuisine.

Je cours jusqu'à la cuisine, ouvre le robinet:

—Il n'y a pas d'eau dans le robinet de la cuisine!

—Parfait! Tout est parfait!

Ensuite, mon père ne me pose plus de questions concernant les robinets. Tout est parfait! Tout est parfait? Pourquoi? Comment? Je m'approche de l'entrée qui mène au sous-sol. Je crie à mes parents:

— Qu'est-ce que vous faites?

Rien… Pas de réponse. À bout de nerfs, je demande encore:

— Qu'est-ce que vous faites?

Personne ne répond. J'essaie de ne rien imaginer, mais dans une situation comme celle que je vis présentement, il est très difficile de ne pas songer à mes parents qui sont devenus prisonniers des intraterrestres liquides au fond du sous-sol… Il ne reste qu'une solution: sauter sur le téléphone pour appeler les policiers, les pompiers, les ambulanciers, l'armée de terre, de l'air et de mer pour leur expliquer, le plus simplement possible, afin qu'ils comprennent bien et qu'ils ne s'énervent pas, que la sixième fin du monde est arrivée et qu'il n'y aura pas de lendemain.

Mais je n'ai même pas le temps de m'approcher de l'appareil pour appeler du renfort. DRING! DRING! C'est le téléphone lui-même qui sonne devant moi!

-4-

DRING! DRING! BANG!

En écoutant la sonnerie du téléphone, qui résonne dans toute la maison, je ne sais plus quoi faire. Ce sont peut-être les intraterrestres liquides qui me tendent un piège. Ma mère me crie du sous-sol :

—Noémie! Réponds, c'est sans doute pour moi!

—Non! C'est probablement pour moi, répond mon père en écho.

Je m'élance vers le téléphone. Mes pieds tout mouillés glissent sur le plancher. Je perds l'équilibre et, au ralenti, comme dans les films, en tentant de m'agripper au vide qui m'entoure, je m'affale de tout mon long. BANG ! Ma nuque frappe le sol. RE-BANG ! Et derrière ce RE-BANG ! j'entends un autre DRING ! DRING ! Ma mère hurle du sous-sol :

—Noémie, qu'est-ce qui se passe?

Affalée sur le plancher, je ne réponds pas. Je vois quelques étoiles, puis quelques galaxies tourner autour de moi... La sonnerie du téléphone se tait. Ma mère crie du sous-sol :

—Noémie ! Ça va?

Je me relève de peine et de misère. Puis, en me massant la nuque, je crie à mon tour :

—Oui, ça va ! Et toi?

—Ça va, mais ton père est un peu blessé!

En faisant très attention pour ne pas glisser une deuxième fois sur le plancher, je m'approche de l'escalier qui mène au sous-sol. En bas, j'aperçois mon père, soutenu par ma mère. Je n'ai même pas le temps de poser de questions. DING! DONG! La sonnerie de la porte d'entrée retentit dans toute la maison. DING! DONG! Et là, avant même que je me rende dans le vestibule, j'entends une clé tourner dans la serrure et j'aperçois une ombre qui entre dans la maison.

L'ombre ouvre la bouche. Je reconnais la voix de ma bonne grand-maman Lumbago. Elle referme la porte du vestibule, me voit et, ahurie, me demande:

—Mon Dieu Seigneur! Noémie! Tu es toute trempée! Mais qu'est-ce qui se passe ici?

—Rien…

—Rien, en effet! Je n'ai plus d'eau, chez moi, en haut…

En tournant la tête pour regarder mon père qui monte péniblement les marches, je réponds:

—Ce serait trop long à expliquer!

—Mais pourquoi vous ne répondez pas au téléphone? demande grand-maman.

Je résume la situation en huit mots:

—À cause d'un réveille-matin qui n'a pas sonné!

Mon père apparaît dans l'ouverture de la porte. Aidé par ma

mère, il se rend jusqu'au salon puis il se laisse tomber sur un canapé. Il soupire. Il frotte sa cheville. Ma mère l'examine de près, puis elle donne son diagnostic :

—Il n'y a rien de cassé, seulement une grosse contusion !

Grand-maman observe la scène de ses petits yeux interrogateurs : mon père, le pyjama déchiré et mouillé, est blessé au pied. Ma mère, trempée elle aussi, les cheveux hirsutes, la jaquette de travers, s'affole près de mon père. Moi, imbibée d'eau de la tête aux pieds, je grelotte en plein milieu du salon. La chambre de mes parents est tout à l'envers, les draps sont éparpillés, un gros chaudron est renversé sur le lit. Il y a de l'eau partout sur le plancher de la salle de bain, un cadran brisé est coincé au fond de la cuvette, une grosse cuillère de métal traîne par terre…

—Eh bien, dit grand-maman en se grattant le front, on ne s'ennuie pas chez vous! On dirait que la fin du monde est passée par ici…

—Oui, nous sommes rendus à la sixième… Et la journée est à peine commencée.

Mes parents me dévisagent d'un air interrogateur. Mais je n'ai pas le temps de leur expliquer ce qui se passe. Je dis seulement:

—De toute façon, vous ne pourriez pas comprendre…

Grand-maman se rend dans la cuisine en balançant la tête de gauche à droite et en soupirant des «Mon Dieu Seigneur, de mon Dieu Seigneur, de mon Dieu Seigneur».

Puis, elle ajoute :

— C'est incroyable ! Avez-vous pris votre petit-déjeuner ?

Nous répondons tous les trois par un signe négatif de la tête.

— Si je comprends bien, ajoute grand-maman, vous êtes complètement débordés !

Nous répondons tous les trois par un hochement de la tête.

Grand-maman n'ajoute rien. Elle enfile un tablier, ouvre une armoire, fouille dans une boîte et nous lance, à chacun, une barre énergisante. Ensuite, comme un capitaine qui a beaucoup d'expérience dans les cas de catastrophe navale, elle prend le contrôle de la situation en disant :

—Occupez-vous de vous ! Moi, je m'occupe du reste !

En l'espace de vingt minutes, les débris du cadran se retrouvent à la poubelle, le plancher est épongé, tout le monde est habillé. Mon père a enfilé un bel habit, veston, cravate et en plus, il a eu le temps de faire quelques téléphones pour expliquer son retard. Ma mère, toute coiffée, toute pomponnée, a revêtu un beau tailleur bon chic, bon genre et elle a eu le temps d'appeler au bureau. Moi, j'ai enfilé mes jeans et mon t-shirt préféré, mais je n'ai téléphoné à personne…

Nous sommes prêts à redémarrer la journée. Grand-maman enlève son tablier. Puis, en souriant, elle dit à mes parents.

—Comme vous êtes déjà en retard, je vais reconduire Noémie à l'école!

—YOUPPI!

—Merci pour votre aide, disent en chœur mes parents.

—Ce n'est rien… Ce n'est rien…

Tout le monde s'embrasse. SMACK! SMACK! SMACK! SMACK! Nous nous avançons dans le corridor et nous nous apprêtons à quitter la maison. Mon père, pressé d'aller travailler, ouvre la porte d'en avant. Mais, aussitôt, il recule en s'exclamant:

—Ah non! Ce n'est pas vrai!?!

Ma mère s'avance un peu, lève la tête et lâche un juron que je n'ai pas le droit de répéter.

Grand-maman se soulève sur le bout des pieds pour murmurer:

— Mon Dieu Seigneur…

Moi, je me faufile entre grand-maman, ma mère et mon père. Je regarde dehors et je ne lance aucun juron. Je n'imagine rien. Je reste très calme, même si je suis complètement sidérée, stupéfiée, pétrifiée, abasourdie et autres synonymes dans le même genre. Dehors, la septième fin du monde tombe du ciel !

-5-

Le déluge

Nous restons tous les quatre dans le vestibule à regarder dehors parce que dehors, c'est le déluge. Je n'ai jamais vu une pluie aussi torrentielle. Les gouttelettes sont tellement nombreuses et tellement rapprochées et tellement remplies d'eau qu'on ne voit pas de l'autre côté de la rue. On croirait qu'un pompier géant arrose le devant de la maison. Et puis soudain, un éclair traverse le ciel gris. Une, deux, trois secondes plus tard, nous entendons un grondement sourd. La maison

tremble sur ses fondations. Mon père murmure d'un petit ton sec et scientifique :

— Le tonnerre n'est pas tombé très loin !

Quatre secondes plus tard, un autre éclair zèbre le ciel. Cinq secondes plus tard, tout le quartier vibre sous mes pieds.

Six secondes plus tard, un autre éclair balaie le ciel et ce n'est que sept secondes plus tard que le tonnerre éclate. Mon père annonce, encore une fois sur un ton scientifique :

— L'orage s'éloigne.

Le sol ne tremble plus, mais j'ai l'impression que quelque chose vibre près de moi. Je pose la main droite sur le cadre de la porte. Rien ne bouge. Je regarde dehors. Rien ne bouge à part les milliards de gouttelettes… Et puis tout à coup, la main de grand-maman glisse dans la mienne. Elle tremble. En une fraction de seconde, je comprends que ma belle grand-maman d'amour ne tremble pas de froid, ni de faim, ni de je ne sais quoi. Non ! Ma belle grand-maman d'amour tremble de peur. C'est incroyable, à chaque nouveau coup de tonnerre, sa main frémit dans la mienne…

En silence, pendant que mes parents, immobiles dans le vestibule, regardent la pluie tomber, moi, je me blottis contre ma grand-mère. J'encercle sa taille avec mes bras et je colle mon oreille contre sa poitrine. Son cœur bat à tout rompre. Il bat encore plus vite que les gouttes de pluie qui bondissent à toute vitesse sur le trottoir.

Soudain, ma mère demande, dans un sursaut d'efficacité :

— Qu'est-ce qu'on fait ?

Moi, je réponds du tac au tac :

— On oublie l'école et le travail pour aujourd'hui ! On reste à la maison ! On joue, on se repose, on…

Mais c'est exactement le contraire qui se produit.

— On fait ce qu'il faut faire dans de telles situations, répond mon père, avec, encore une fois, son petit ton sec et scientifique.

Suivi par ma mère, qui semble avoir compris un message secret, mon père disparaît dans la maison. Ils reviennent tous les deux, armés de gros parapluies.

Avant de les ouvrir, mes parents se souhaitent une bonne journée. Ils se font la bise, puis ils nous embrassent grand-maman et moi. Ensuite, les deux tourtereaux partent en courant vers l'automobile stationnée de l'autre côté de la rue.

Je regarde grand-maman. Je lui fais des yeux doux, des yeux qui veulent dire «Grand-maman, je sais maintenant que vous avez peur du tonnerre, alors, si vous le voulez bien, nous allons rester toutes les deux à la maison, aujourd'hui...»

En silence, grand-maman me fixe avec un air qui veut dire «Eh bien, non, ma petite Noémie.»

Je me blottis contre elle d'une manière qui veut dire « Chère grand-maman d'amour en chocolat fondant, aujourd'hui, nous

58

pourrions lire, écouter la télévision, faire des casse-tête, cuisiner…»

Mais je n'ai pas de chance. Grand-maman me fixe avec un air qui veut dire «Eh bien non, Noémie! Malgré toute la peur qui m'habite, je vais aller te reconduire à l'école comme il se doit.»

Je lui refais le coup des yeux doux, des yeux de biche attendrie, des yeux d'ourson en peluche absolument attachants, séduisants, irrésistibles, mais grand-maman, insensible à mon charme, lance :

— Bon, Noémie, j'aurais besoin de mon grand parapluie !

En soupirant, j'enfile mon imperméable. Je quitte la maison. Heureusement, il pleut un peu moins fort que tout à l'heure. Je monte chez grand-maman chercher son parapluie. Je redescends. Nous quittons la maison. Je verrouille la porte de chez moi, puis, grand-maman ouvre son parapluie. Il n'est pas brisé. Il n'est pas plein de trous. Il n'est pas tout croche. Je suis déçue. Très déçue et même plus.

Nous prenons la direction de l'école. Pour exprimer mon mécontentement, je saute dans toutes les flaques que je rencontre.

Tout va bien jusqu'au premier coin de rue. Nous marchons sous une pluie que je qualifierais de normale.

Au deuxième coin de rue, la pluie recommence à tomber de plus belle.

Mais au troisième coin de rue, la véritable, l'inévitable huitième fin du monde s'abat sur nous.

-6-

Panique à l'infirmerie

Au troisième coin de rue, un éclair d'une foudroyante intensité illumine les nuages. Un terrible coup de tonnerre fait craquer le ciel tout entier. Les arbres sont balayés par des vents violents. Des feuilles tombent et virevoltent. On dirait qu'il neige de gros flocons verts. Un autre éclair jaillit dans le ciel, aussitôt suivi par une autre détonation. Mon premier réflexe est de me cacher sous un arbre.

—Non! lance grand-maman! Vite! Il faut nous dépêcher!

Grand-maman, qui, habituellement, marche très, très lentement, se met à trottiner en direction de l'école. Son parapluie placé devant elle comme un bouclier, elle fonce sous l'orage en accélérant le pas. Elle commence à courir lentement, puis, sous l'impact des coups de tonnerre, elle accélère encore et encore. En m'entraînant dans son sillage, elle court de plus en plus vite, de plus en plus vite, de plus en plus vite.

Impossible de nous faufiler entre les gouttes de pluie qui tombent par millions, par milliards, par millions de milliards de trillions. Mon cœur bat à tout rompre. J'ai les poumons en feu. Ceux de grand-maman font beaucoup, beaucoup de bruit. On dirait qu'elle fait un effort

surhumain pour inspirer et ensuite, on dirait que l'air ne veut plus quitter son corps.

À bout de souffle, nous arrivons enfin devant l'école. Nous montons en vitesse sur le perron et nous tirons sur la grosse poignée de la porte principale. Mais, horreur! elle est fermée à double tour. J'appuie de toutes mes forces sur la sonnette. DDDDDDRRRRIIIINNNGGGG!

Aussitôt, la secrétaire quitte son bureau pour nous ouvrir la porte. Nous nous engouffrons dans le vestibule. Grand-maman, les yeux hagards et les jambes toutes molles, se laisse tomber sur un banc. Moi, je reste debout, ruisselante de sueur. Nous ne disons rien. Nous ne faisons qu'haleter et chercher notre air, et... et rien d'autre pour le moment.

Madame la directrice s'approche et demande :

—Ça va ?

Moi, de peine et de misère, je fais signe que oui, mais grand-maman, qui n'a pas repris son souffle, fixe le plafond. Son visage est rouge comme une tomate. J'ai peur.

—Grand-maman, ça va ?

Elle fait signe que oui. Elle fait signe que non. Elle ne sait pas. Elle ne sait plus. Complètement paralysées par la situation, ne sachant pas que faire, madame la directrice, la secrétaire et moi-même, nous regardons grand-maman chercher son air, s'époumoner, se ventiler avec une main. Son front ruisselle de sueur. Et en plus de tout ça, elle frémit et sursaute à chaque coup de tonnerre.

Je n'en peux plus. Je prends la main de grand-maman dans la mienne. Sa paume est moite. Ou bien c'est la mienne qui est toute mouillée. J'ai peur. Mon cœur se met à battre au même rythme que le sien. Nous allons exploser toutes les deux.

Madame la directrice nous quitte en coup de vent. Elle revient quelques instants plus tard avec l'infirmière de l'école. Cette dernière se penche, fixe grand-maman, examine le blanc de ses yeux, prends son pouls et dit sur un ton autoritaire :

— Ne bougez pas !

L'infirmière disparaît à toute vitesse. Elle revient avec un stéthoscope. Elle ausculte grand-maman. Elle vérifie son cœur et ses poumons. Elle examine encore le blanc de ses yeux, puis elle lui dit :

— Vous ne pouvez pas repartir tout de suite. Vous devez vous reposer un peu.

À la surprise générale, sans même consulter personne, l'infirmière aide grand-maman à se lever. Lentement, très lentement, en lui tenant le bras, elle l'emmène dans le petit local de l'infirmerie.

— Reposez-vous ici, le temps de vous calmer un peu…

Toujours en cherchant son air, grand-maman s'étend sur un petit lit. Elle tourne la tête et me regarde avec… avec amour. Ma main s'avance. Je caresse son front. Il est chaud, presque bouillant. Tout cela me rappelle de très mauvais souvenirs. J'espère que grand-maman n'est pas en train de mou… J'espère qu'elle ne partira pas aujourd'hui, par un jeudi matin pluvieux. Ce serait trop bête.

En panique, je me retourne vers l'infirmière pour lui dire, sans aucune ponctuation :

— Vite il faut sauver ma grand-maman chérie d'amour que j'aime plus que tout au monde est-ce que c'est clair ou je dois faire un opéra en trois actes ou une symphonie ou une crise de nerfs ou une dépression nerveuse pour que vous compreniez l'urgence de la situation?????

L'infirmière ouvre de grands yeux ahuris. Elle replace le stéthoscope sur le cœur de grand-

maman. Elle écoute ses poumons, puis elle dit :

— Son cœur a un peu ralenti, mais il bat encore trop vite. Elle doit se reposer.

Son cœur bat trop vite ! Son cœur bat trop vite ! Le mien bondit dans ma poitrine lorsque madame la directrice me dit :

— Bon, Noémie, ta grand-maman est en bonnes mains. Elle est hors de danger. Elle doit se reposer. Tu peux maintenant retourner en classe.

Je fais semblant de ne pas avoir entendu cette dernière phrase. Je continue de caresser le front de grand-maman.

La directrice s'approche, lève le menton et me fait signe de l'accompagner.

Je ne bouge pas. Je reste agrippée à ma belle grand-maman Lumbago chérie d'amour. La directrice soupire :

— NOÉMIE…

Je ne bouge pas. Je préférerais mourir plusieurs centaines de fois, je préférerais vivre des milliers de fins du monde que d'abandonner ma belle grand-maman d'amour dans ce petit local.

— Noémie, viens avec moi !

Je reste vissée au plancher… Après quelques secondes, grand-maman soupire :

— Noémie ! Ça va aller !

— Vous en êtes certaine, grand-maman ?

—Oui, oui, je vais me reposer un peu… puis, je vais retourner à la maison.

—Vous êtes certaine que vous pouvez vous passer de moi?

—Oui… Non… Oui, oui, ma chérie! Ça va aller! On se reverra ce soir… Ne t'inquiète surtout pas!

L'infirmière me fait un clin d'œil et esquisse un petit mouvement des lèvres qui veut dire que je ne dois pas m'inquiéter.

Ma bouche répond « Bon, d'accord. », mais je reste plantée près du lit. Grand-maman, qui respire un peu mieux, ferme les yeux, puis elle les ouvre lentement et me fait un petit clin d'œil pour me signifier que tout va bien, maintenant.

J'embrasse grand-maman sur les deux joues. Entraînée par

madame la directrice, je m'éloigne en reculant et en fixant ma grand-mère étendue sur le dos. Comme elle le dirait elle-même, mon Dieu Seigneur que je n'aime pas ça… que je n'aime pas ça.. que je n'aime pas ça…

S'il fallait qu'il lui arrive quelque chose, ce serait vraiment, mais vraiment, la neuvième et la pire fin du monde de ma vie.

-7-

Monsieur Platitude

Pendant qu'elle me reconduit à ma classe, madame la directrice papote sans arrêt. Elle me parle de ses plantes, de sa fille, de son repassage… Je ne suis pas folle. Je sais très bien que c'est une tactique pour me changer les idées. Puis, elle m'explique que mon professeur souffre, aujourd'hui, d'une extinction de voix. Elle a donc été remplacée par un suppléant, très gentil… et patati et patata et re-patata et re-patati… Moi, en marchant, je pense qu'aujourd'hui, tous les professeurs du monde, tous les suppléants du monde et toutes les directrices du monde devraient souffrir d'une extinction de voix!

Je rentre dans ma classe, je salue le suppléant, et en me rendant à mon bureau, je constate que tous les élèves, sans aucune exception, sont en train de s'endormir. Dehors, il pleut, le ciel est gris. Je m'assois à ma place. À chaque éclair, à chaque coup de tonnerre, je pense à grand-maman.

Afin de me changer les idées, j'essaie d'écouter le suppléant. Il semble gentil, mais sa voix est… comment dire… sa voix est ennuyante… Il parle toujours sur le même ton. Ses phrases ressemblent à un long fil qui se déroule à la même vitesse, c'est-à-dire à une vitesse très lente et très plate. On croirait entendre un violoniste qui joue toujours la même note sans jamais s'arrêter. En écoutant cette voix monotone qui nous explique quelque chose, plusieurs élèves de ma classe fixent le plafond. D'autres enfoncent leur index jusqu'au fond de leurs narines. Moi, pendant ce temps, je fixe le suppléant. Pour passer le temps et surtout pour ne pas penser à grand-maman, je m'amuse à lui trouver des surnoms. Je l'appelle « monsieur Ennuyant ». Mais je trouve que ce n'est pas assez représentatif. Alors, je trouve « monsieur Sans Intérêt ». Mais ce n'est pas assez explicite. Alors, après avoir cherché pendant plus de dix minutes, je trouve enfin le

qualificatif idéal. Je le surnomme «monsieur Platitude». En trouvant ce surnom formidable, je crie «YOUPPI!» et, sans même m'en rendre compte, je lève les bras dans les airs en signe de contentement. Monsieur Platitude sursaute, mais d'une façon très lente… Il me demande de sa voix monocorde qui grince un peu:

—Jeune fille? En voyant votre réaction remplie d'un enthousiasme débordant, je crois deviner que vous désirez, sans aucun doute, et avec beaucoup d'intérêt de votre part, me poser une question concernant le sujet fascinant que nous étudions présentement?

Moi, sidérée par cette longue question, je ne peux que répondre :

— Je… Heu… Non… Excusez-moi, monsieur Pla… Excusez-moi, monsieur le suppléant !

— Alors, pourriez-vous m'expliquer, jeune fille, le pourquoi de votre intervention…

Avant qu'il ne se lance dans une grande envolée oratoire de quinze minutes, je lui coupe la parole tout de suite :

— Je ne m'appelle pas jeune fille. Je m'appelle Noémie ! Noémie avec de l'eau dedans comme ma grand-maman Lumbago, qui a aussi de l'eau dans son nom…

— Je… heu… Alors pourriez-vous m'expliquer, jeune Noémie, pourquoi vous venez de crier

« YOUPPI ! » et pourquoi vous avez levé les bras d'une façon aussi impromptue qu'enthousiaste ?

—Excusez-moi, monsieur Pla... monsieur le suppléant. C'était un tic nerveux.

En écoutant ma réponse, plusieurs de mes amis rigolent. On en profite pour bouger, pour se tortiller et pour gigoter un peu. Mais cela ne dure pas longtemps. Monsieur Platitude, un gros livre à la main, recommence à nous parler sur un ton soporifique. (C'est un mot que j'ai entendu à la télévision. Ensuite, j'en ai cherché la définition dans le dictionnaire.) Donc, ce ton soporifique pourrait endormir un hyperactif qui aurait bu soixante-quinze cafés.

Malgré les quelques coups de tonnerre qui vrombissent, la vie redevient plate, re-plate et pa-ta-ti-pa-ta-plate. C'est vraiment incroyable! Moi, habituellement si joyeuse et si énergique, j'ai le goût de m'étendre sur mon pupitre. Mais je m'appuie sur mes coudes et je fais semblant d'écouter monsieur Platitude. Je pense à ma belle grand-maman Lumbago, couchée sur le petit lit de l'infirmerie. J'espère que son cœur se porte bien… J'espère que sa santé se porte bien… j'espère que…

Pendant que j'espère toutes sortes de bonnes choses pour grand-maman, la voix de monsieur Platitude résonne dans mes oreilles et jusque dans le fond de mes pieds. J'ai la très mauvaise impression de ne pas me trouver au bon endroit au bon moment… Je devrais me blottir contre ma belle grand-maman… tenir sa main… écouter battre son cœur… l'entendre respirer.

Pendant que tout le monde somnole, moi, sans pouvoir me contrôler, je commence à frétiller sur ma chaise.

Ce n'est pas compliqué à comprendre : je veux voir grand-maman. Mon corps tout entier veut quitter la chaise sur laquelle il est assis. Mes muscles se gonflent. Mes idées s'entre-choquent comme des autos tamponneuses. Je ne tiens plus en place. Je ressemble à un pantin qui fait des efforts pour ne pas que ses membres désarticulés explosent et se retrouvent aux quatre coins de la classe, aux quatre coins du monde, aux quatre coins de la galaxie, aux quatre coins de l'Univers… De temps à autre, un spasme incontrôlable fait trembler mes jambes. De temps à autre, mon pied se précipite vers l'avant pour donner, involontairement, un coup sur la chaise placée devant moi. BING! Ou bien, c'est mon bras qui se lève tout seul à la vitesse de l'éclair. Chaque fois, monsieur Platitude tressaille.

D'ailleurs, après mon dixième sursaut, il me demande de sa voix soporifique :

— Bon, dites-moi, jeune Noémie. Pourriez-vous m'expliquer, à moi ainsi qu'à vos camarades de classe, la raison consciente ou inconsciente pour laquelle, de temps à autre, mais de plus en plus souvent, vous

vous mettez à gesticuler de la sorte qu'il nous est pratiquement impossible d'obtenir une concentration maximale qui nous permettrait de poursuivre notre formidable exposé concernant la vie fascinante de ces grands mammifères que l'on appelle communément les «paresseux»?

En gigotant sur ma chaise, je réponds:

—Heu… Pourriez-vous répéter la question, s'il vous plaît?

Monsieur Platitude répète sa question, mais en allongeant la phrase, ce qui la rend encore plus incompréhensible.

—Comme je ne sais pas exactement ce qu'il faut répondre dans un cas comme celui-ci et comme il faut absolument que je quitte la classe pour rejoindre

grand-maman, je dis en me tor-
tillant sur ma chaise:

—Je, heu… Monsieur Pl…
Monsieur le suppléant, est-ce que
je pourrais aller faire un petit
tour aux toilettes, s'il vous plaît?
Vite! Ça presse!

—Jeune Noémie, en observant
et en analysant votre langage
non verbal depuis quelques instants, il me semble en effet que
vous agissez sous l'effet d'un
besoin naturel pressant qui ne
demande plus de délai, car il me
semble bien, à vous voir ainsi
dans un tel état d'urgence, qu'il
serait préférable que vous
obéissiez aux lois naturelles qui
pèsent de tout leur poids sur
votre vessie, ici, dans la balance
de vos besoins… Et…

Je ne peux m'empêcher de répondre :

— C'est oui ou c'est non ?

En me voyant trembler, vibrer et palpiter, monsieur Platitude me fait signe que je peux quitter la classe. Youppi ! Dans une minute, je serai tout près de ma grand-mère. Je me lève d'un bond, mais…

-8-

L'hécatombe

Devant monsieur Platitude et devant tous les autres élèves de ma classe qui sont en train de sombrer dans un profond coma, je me lève à une vitesse folle pour faire semblant d'aller aux toilettes. Mais, en me levant brusquement, ma chaise tombe sur le côté. Elle glisse jusque dans le milieu de l'allée. Et c'est à ce moment précis que, sans même le vouloir, je provoque une dixième, puis une onzième, puis une douzième fins du monde qui arrivent l'une après l'autre comme des raz-de-marée.

Poussé par mon élan, mon pupitre se soulève, pivote sur une patte, ensuite sur l'autre, comme s'il dansait sur place, puis il tombe lourdement sur le côté. BANG!

Mais ce n'est pas tout!! Avec deux points d'exclamation.

Le contenu de mon pupitre se répand sur le plancher de la classe. Et là, j'ignore pourquoi, mais on dirait que l'Univers entier devient sens dessus dessous. Probablement parce qu'il y avait trop de platitude dans l'air, ou parce que chacun éprouvait le même besoin de bouger, tous les élèves de la classe, dans un même mouvement, se précipitent pour ramasser mes stylos, mes gommes à effacer, mes feuilles mobiles, mes cahiers, mes livres, mes dictionnaires, mes bouteilles d'eau, mes taille-crayons et mes porte-crayons qui se sont épar-pillés sur le plancher.

C'est le brouhaha et la caco-phonie la plus totale dans la classe. On rigole. On crie. On en profite pour se défouler un peu.

Mais ce n'est pas tout!!! Avec trois points d'exclamation.

Monsieur Platitude, d'une voix toujours aussi monocorde, ouvre la bouche, et prononce, sans aucun doute, des mots très intéressants. Mais nous faisons tellement de bruit qu'on ne l'en-tend pas, qu'on ne l'écoute pas, qu'on finit même par ignorer sa présence.

Dans la classe, on crie. On chahute. On s'énerve. C'est l'hys-térie collective et galopante qui

se propage comme un tsunami. En rigolant, chacun et chacune des élèves se promène à quatre pattes sous les tables pour chercher quelque chose. D'autres renversent des chaises, d'autres encore en profitent pour grimper sur leur pupitre.

Moi, en cherchant mes affaires, je jette un coup d'œil vers monsieur Platitude qui, les yeux écarquillés, ouvre et ferme la bouche inutilement. C'est ce qu'on appelle une perte de contrôle.

Un désastre.

Une catastrophe.

Un cataclysme.

Mais ce n'est pas tout!!!! Avec quatre points d'exclamation.

En l'espace de quelques secondes, les élèves qui rampaient sous les pupitres ou qui marchaient à quatre pattes font tomber à leur tour d'autres chaises et d'autres pupitres. La classe devient alors un véritable champ de bataille. Il ne reste plus aucune chaise debout. Aucun pupitre debout, sauf celui du suppléant. Le pauvre monsieur Platitude, toujours en continuant d'ouvrir et de refermer inutilement la bouche, s'agrippe à son bureau afin de résister au raz-de-marée. Je l'avoue humblement, je n'ai jamais vu un tel renversement de situation ni dans la vraie vie, ni dans un livre, ni à la télévision, ni même dans un film. Le contenu de tous les pupitres se retrouve étendu, pêle-mêle, sur le plancher. En fait, pour être honnête, nous ne voyons même plus la couleur du plancher. Je regrette de ne pas avoir en ma possession un appareil photo, ou une caméra vidéo. Je suis certaine que, sans même le vouloir, nous sommes en train de battre le record mondial de la classe la plus à l'envers de toute l'histoire de l'éducation.

Mais ce n'est pas tout!!!!! Avec cinq points d'exclamation.

En fouillant pour retrouver leurs choses, chacun des élèves s'énerve. Des sacs d'école sont renversés. Tout leur contenu se retrouve sur le plancher. Se mélangent ensemble des thermos, des sacs à lunch, des sacs de croustilles, des bouteilles d'eau, des balles de toutes les couleurs, des calculatrices, des jeux vidéo, des écouteurs... Le plancher ne porte plus le nom de plancher. C'est devenu une grosse poubelle dans laquelle grouillent et grenouillent une vingtaine d'élèves en furie. Nous n'entendons même plus les bruits du tonnerre. C'est incroyable ! Monsieur Platitude, devenu tout blême, cesse de parler tout seul. Il s'assoit lentement sur sa chaise. Il appuie ses deux coudes sur son bureau, puis, à la vitesse d'un escargot de course, il enfouit sa tête dans ses mains en nous regardant d'un air… d'un air qu'il est très difficile de décrire avec des mots. Disons que ses yeux ressemblent à ceux d'une chouette apeurée, que ses oreilles ressemblent à celles d'un chien battu et que son allure générale ressemble à celle d'un âne qui ne sait plus s'il devrait avancer, reculer ou disparaître par enchantement…

Mais ce n'est pas tout!!!!!!
Avec six points d'exclamation.

Comme il fallait s'y attendre,
la pagaille et le désordre en-
gendrent le désarroi et la
discorde. En cherchant leurs
choses éparpillées, certains
élèves commencent à s'obstiner :

—Cette gomme à effacer est
à moi!

—Non! C'est la mienne!

—Menteur!

—Hey! Tu piétines mon lunch!

—Non, c'est le mien!

—C'est mon stylo!

—Non, c'est le mien. Il n'écrit
même pas.

—S'il n'écrit pas, pourquoi le
gardes-tu?

Le ton monte. On se parle de
plus en plus fort. On crie. On se

lance des crayons, des cartables, des livres d'un bord à l'autre de la classe. On ne se comprend plus :

— C'est mon cahier !

— Non ! C'est le tien !

— C'est ce que je viens de dire !

— Oublie ça !

— C'est ton stylo ?

— Non, c'est le tien !

— Ah ! Je croyais que c'était le mien !

Comme il fallait s'y attendre, dans le coin gauche de la classe, Jean-François Labaume-Rodriguez commence à se chamailler avec son ennemi juré : Rodrigo Laframboise-Mercier. Arrive à la rescousse chacun de leurs amis, et j'ai nommé Sébastien Han-Willem et Paulo

Tremblay-Larochelle. Aussitôt, deux filles qui détestent la chicane, Isabelle Moreau-Landry et Marlène Choco-Laliberté, se précipitent entre les quatre gars pour tenter de désamorcer la situation qui se détériore de plus en plus. On se pousse! On s'engueule! On menace de se battre! Les décibels montent dans la classe à un degré qui n'est pas permis.

Et ce n'est pas tout!!!!!!! Avec sept points d'exclamation.

Des pleurs s'élèvent dans le coin droit de la classe. Le petit Mario Jodoin-Dalkian, qui était monté sur un pupitre, vient de tomber sur la jambe de Stéphanie Legardeur-Labonté, qui elle aussi se met à crier en hurlant que sa jambe est brisée. On pleure! On

-9-

Retour à l'ordre

—Hiiiiiiiiiiiiii! ÇA SUFFIT!

Tout le monde dans la classe reconnaît cette voix très haut perchée qui ressemble à une sirène de police additionnée au hurlement d'un loup en détresse : c'est la voix de madame la directrice. Elle vient d'entrer dans la classe et elle referme la porte en la faisant claquer. CLAC! Dans le silence total, elle s'écrie pour nous re-glacer le sang :

—Qu'est-ce qui se passe ici?

Personne ne répond. Personne ne bouge. Tout le monde est

pétrifié. Roxane, en équilibre sur un pied, ressemble à une statue qui va tomber. Mathieu Riopelle-Lagacé, les deux bras dans les airs et la bouche grande ouverte, semble figé pour l'éternité. Moi, je suis suspendue par une main au-dessus de mon pupitre. Monsieur Platitude, l'air d'un pitou piteux, fixe madame la directrice en soulevant les épaules pour signifier qu'il est vraiment dépassé par la situation.

Madame la directrice, seul élément mobile dans cette classe figée, soulève une main et fait claquer ses doigts pour nous signifier que la Terre peut recommencer à tourner. Au claquement de doigts, chacun des élèves finit son mouvement. Roxane pose son pied par terre. Mathieu baisse les bras et ferme la bouche. Moi, j'atterris sur un cahier à anneaux qui craque sous mon poids.

Madame la directrice recule vers le tableau, saisit une craie, et commence à écrire les directives. Pour être bien certaine que nous comprenons les ordres, elle nous les dicte de sa voix pointue en lettres majuscules :

— PREMIÈREMENT, VOUS REPLACEZ VOS PUPITRES !

Ce que nous faisons dans le désordre le plus total puisque tous les bureaux sont pêle-mêle. Le mien est rendu au fond de la classe, celui de Roxane par-dessus la poubelle et celui de Mélinda sur le bord de la fenêtre.

— DEUXIÈMEMENT, VOUS REPLACEZ VOS CHAISES !

Ce que nous faisons, encore une fois dans le désordre le plus total. Plusieurs élèves s'obstinent :

—Hey! C'est ma chaise que tu prends!

—Non! C'est la mienne, mes gommes à mâcher sont collées, ici, en dessous!

—Hey! Attention à mon pied!

—Cesse de me pousser!

—TROISIÈMEMENT, J'EXIGE LE SILENCE LE PLUS COMPLET!

En chahutant, marmonnant ou en grognant, chacun trouve sa chaise et s'assoit à son pupitre.

—QUATRIÈMEMENT, TOUS LES ÉLÈVES DE LA RANGÉE DE DROITE… VOUS VOUS LEVEZ ET VOUS RAMASSEZ TOUTES VOS CHOSES… EN SILENCE!

Finalement, pour faire une histoire courte, la classe redevient propre comme un sou neuf après une dizaine de minutes. Les pupitres sont parfaitement alignés. Les chaises aussi, les élèves aussi, les sacs aussi, les aiguilles de l'horloge aussi, les planètes aussi, et probablement, aussi, les galaxies.

Monsieur Platitude, l'air complètement hébété, regarde madame la directrice avec beaucoup d'admiration. Je sais très bien qu'il est impossible d'avoir, en même temps, l'air hébété et le regard plein d'admiration, mais c'est exactement ce qui se produit ici. C'est ce qu'on appelle un miracle de la nature.

Madame la directrice, droite comme un poteau de clôture, nous fixe avec un petit air autoritaire qui n'augure rien de bon. Elle nous fixe, chacun notre tour, puis elle demande :

— Est-ce que quelqu'un peut m'expliquer, calmement, le pourquoi de tout ce désordre ?

Personne ne répond, mais tous les élèves se tournent vers moi. Moi, Noémie ! Je deviens le centre d'attraction du monde entier. Toutes les pupilles de la classe sont braquées sur moi. Mes joues deviennent plus rouges que des tomates trop mûres. Mes idées s'embrouillent. Madame la directrice lève le menton en me fixant avec ses yeux interrogateurs. Je n'en peux plus ! Je vais perdre connaissance dans trois, deux, une seconde, et ce sera la quatorzième fin du monde, la vraie, l'irréversible, celle dont on ne revient jamais.

Je ferme les yeux, mais... mais je ne perds pas connaissance. Je reste assise sur ma chaise, les yeux fermés, incapable de parler. Incapable de pleurer.

Incapable de fermer mes oreilles, j'entends la voix monocorde de monsieur Platitude qui tente une explication :

— Heu, voilà, chère madame la directrice. Il s'agit, ici, je crois, d'une situation pour le moins saugrenue qui ressemble étrangement à celle que l'on rencontre lors d'un accident. C'est-à-dire que l'événement déclencheur de toute cette mésaventure n'est rien d'autre qu'une anecdote sans importance, et dans le cas précis qui nous préoccupe présentement, il s'agit d'un besoin pressant et naturel de la jeune Noémie… qui, emportée par une pulsion…

Les yeux toujours fermés, j'écoute l'explication de monsieur Platitude et, même s'il s'agit de moi, j'avoue que je ne comprends rien. Ses phrases ressemblent à de longs serpents qui n'en finissent pas de s'entortiller les uns sur les autres dans une suite sans fin, ce qui fait que rendu au milieu de la phrase, on ne se souvient plus du début et à la fin, on ne se souvient même plus du milieu… Et voilà que moi, Noémie, je commence à penser comme monsieur Platitude et je me dis que si ça continue comme ça, je ne verrai jamais la fin de cette journée qui n'en finit plus de ne plus finir et qui s'allonge…

Et soudainement, alors que je suis complètement entortillée dans mes pensées les plus profondes, j'entends la voix de madame la directrice :

— Bon ! Bon ! Bon ! Noémie ! Explique-moi !

J'ouvre les yeux, j'avale un peu de salive et je dis d'un même souffle :

— Je m'excuse ! C'est un accident ! Je me suis levée trop rapidement pour aller aux toilettes ! J'ai renversé mon pupitre ! Tout le monde s'est précipité pour m'aider ! Mais, dans l'enthousiasme général, la situation s'est détériorée !

Alors que je m'attends à me faire réprimander, gronder, blâmer, semoncer, et autres

114

synonymes, je vois la directrice
me sourire :

—Je te félicite, Noémie ! Ton
explication était claire, concise
et pleine de vérité !

—Heu… Merci, madame la
directrice !

—Si j'ai bien compris,
Noémie, tu désirais te rendre
aux toilettes ?

—Heu… Oui… C'est ça,
madame la directrice !

—Bien, Noémie ! Tu vas nous
montrer comment quitter ton
bureau sans chambouler toute
la classe !

—Oui, madame la directrice !

Devant les élèves, devant
madame la directrice et devant
monsieur Platitude, je quitte ma
chaise en me levant le plus lentement que je peux. Je me lève
si lentement que mes genoux

craquent. Mes chevilles aussi. Une fois debout, je m'immobilise dans l'allée. Le cœur battant, je m'appuie sur mon pupitre. Je prends une profonde inspiration. Je me concentre. Je ne veux pas faire de gaffe. En regardant droit devant moi, c'est-à-dire en fixant madame la directrice dans les yeux, j'avance lentement le pied droit. Tout va bien. Je ne provoque aucune catastrophe, aucune fin du monde… J'avance le pied gauche. Tout va bien. Je suis fière de moi… Pendant que je marche à pas de tortue pour ne commettre aucune bévue, madame la directrice me fait des petits signes d'encouragement de la tête. Et puis soudain, elle regarde mes pieds. Elle écarquille les yeux. Elle fronce les sourcils. Elle ouvre la bouche pour me lancer de sa voix pointue :

— ATTENTION, NOÉMIE !

-10-

La catastrophe

Sans même le vouloir, l'Univers se retransforme en catastrophe... Les élèves de la classe fixent mes pieds en s'écriant :

—HHHHIIIIIIII!!!!!! ATTENTION!

Le monde chavire, mais il ne chavire pas sur le côté, comme un bateau. Non! Il chavire par en avant. Je m'explique : en voulant soulever mon pied droit, je me rends compte que quelque chose bloque mon mouvement. L'espace d'un millionième de seconde, je jette un coup d'œil à mon soulier et je constate avec horreur que je marche sur mon lacet qui s'était dénoué. Et le temps de me rendre compte de la situation, comme si tout se passait en accéléré et en même temps au ralenti, je perds l'équilibre. Oui, je perds l'équilibre! Mon corps est emporté vers l'avant. Et, comme toute personne normalement constituée, j'essaie de rétablir mon équilibre en faisant un pas de plus. Donc, je fais une longue enjambée. Mais j'aurais besoin de faire un deuxième pas pour retrouver mon aplomb. Impossible! Je ne le peux pas. La directrice est là, devant moi. Elle me bloque le passage. Pour l'éviter, j'essaie de bifurquer à gauche, mais dans un réflexe pour ne pas que je tombe sur elle, madame la directrice se tasse du même côté que moi. J'essaie de me déporter vers la droite, mais elle, comprenant que j'allais la heurter de plein fouet, elle se tasse de l'autre côté, c'est-à-dire du même côté que moi! Ensuite, il est trop tard! Je n'ai pas cinquante kilomètres pour tenter de l'esquiver, il me reste à peine vingt centimètres! La collision est inévitable, et la quinzième fin du monde, aussi.

BA! DA! BANG! Je trébuche directement sur madame la directrice. Nos deux corps se heurtent. Sous l'impact, elle pousse un grand cri, HHHHIIIIIII!, qui résonne à travers toute la classe, et probablement jusqu'au fond de la galaxie. Je m'agrippe à sa taille en espérant reprendre mon équilibre, mais c'est tout le contraire qui se produit.

Entraînée par mon poids, madame la directrice, afin de ne pas tomber sur le dos, recule d'un pas, puis d'un autre, et juste au moment où elle va finalement se stabiliser, nous entendons un gros CRAC!

Aussitôt, la directrice, que je tiens toujours par la taille, semble rapetisser de plusieurs centimètres, mais seulement sur un côté. Le talon de son soulier gauche vient de se briser sous l'impact. Donc, complètement déséquilibrées, la directrice et moi, nous amorçons, ensemble et dans un même effort, un mouvement dans l'autre sens du soulier brisé afin de rétablir l'équilibre. Et c'est justement en équilibre sur l'autre talon, le bon talon, que nous pivotons, comme dans un grand manège, jusqu'à ce que nous entendions encore un terrible CRAC! qui annonce le bris du second talon.

Moi, à ce moment, je lâche mon emprise et je tombe sur les genoux. Mais elle, madame la directrice, les talons brisés, les cheveux dépeignés, la robe de travers, crie HHHHIIIIIIII! de surprise. Elle lance ses bras de tous les côtés comme un oiseau déplumé. Elle gesticule pour reprendre le contrôle de la situation. Mais, malgré ses efforts, elle ne réussit qu'une chose incroyable: elle perd l'équilibre, s'affale sur le bureau, roule dessus, puis, emportée par l'élan, elle tombe directement dans les bras de monsieur Platitude.

Monsieur Platitude et madame la directrice, estomaqués, ne disent rien.

Les élèves, la bouche ouverte, ne disent rien.

Moi, encore à genoux sur le plancher, je ne dis rien.

On ne peut même pas considérer cet événement comme la fin du monde, parce que le monde au complet est figé sur place! Plus rien ne bouge. Même les gouttes de pluie sont bloquées dans les airs de l'autre côté des fenêtres.

-11-

Gros malaise

Madame la directrice, dans les bras du suppléant, devient rouge comme une tomate.

Monsieur Platitude devient encore plus rouge en voyant madame la directrice rougir.

Il y a tellement d'excitation dans la classe que dans un mouvement réflexe, tous les élèves ainsi que moi-même, encore à genoux sur le plancher, nous nous mettons à applaudir à tout rompre.

Madame la directrice cesse de rougir. Elle devient blanche. Elle nous toise avec du feu dans les yeux. Je crois bien que toute l'eau de toute l'averse, de tout le ciel, ne pourrait éteindre ce feu!

Nous cessons d'applaudir et, les yeux écarquillés, nous attendons la suite des événements. Et la suite des événements arrive très rapidement parce que madame la directrice n'est pas contente, mais vraiment pas contente du tout. Voici les raisons officielles :

1- Une bonne directrice ne doit jamais briser ses talons devant les élèves d'une classe.

2- Une bonne directrice ne doit jamais se retrouver dans les bras d'un suppléant devant les élèves d'une classe.

3- Une bonne directrice doit toujours garder le contrôle de la situation et là, pendant une fraction de seconde, elle a rougi dans les bras du suppléant.

4- Et quatrièmement, il n'y a pas de quatrièmement... Il n'y a qu'un gros malaise dans la classe.

Le gros malaise ressemble à ceci : monsieur Platitude ne sait plus que faire. Il soutient fermement la directrice pour ne pas qu'elle tombe sur le sol, mais il ne veut pas la serrer trop fortement pour ne pas l'étouffer. Alors, il relâche son emprise. Comprenant cela, la directrice tente de se relever, mais monsieur Platitude croyant qu'elle va tomber, resserre un peu son emprise. Cette même séquence se produit et se reproduit et se re-reproduit plusieurs fois. Monsieur Platitude relâche et resserre ses bras autour de la directrice et on dirait qu'à chaque reprise, à chaque coup de tonnerre, ils s'approchent un peu plus l'un de l'autre. Tous les élèves, ainsi que moi-même, nous assistons à une scène qui est digne des plus grands films d'amour, en direct, et… gratuitement. Mais à part la pluie qui recommence à tomber sur les vitres, il n'y a pas de musique comme au cinéma. Un incroyable silence règne dans la classe.

Soudain, madame la directrice réussit à se dégager un bras. Elle lance sa main sur le bureau, se cambre, et se redresse en disant d'un ton autoritaire:

— Bon! Ça va faire!

Devant cette situation très claire, le suppléant relâche son étreinte. Madame la directrice quitte les bras de monsieur Platitude comme si elle était propulsée par une catapulte invisible. Elle se retrouve debout, en déséquilibre sur ses deux talons brisés. Elle tente de faire un pas, mais elle marche comme un canard. Toute la classe rigole. Hiii! Hiii! Hiii! Et Haaa! Haaa! Haaa! Et Hooo! Hooo! Hooo…

Mais en voyant la figure de madame la directrice qui se referme et qui devient aussi dure que de l'acier, nous cessons de rigoler. Nous nous attendons au pire, sans même savoir ce que l'avenir nous réserve!

À notre grande surprise, madame la directrice n'éclate pas de colère, ne crie pas, ne devient pas hystérique. Comme si elle jouait dans une comédie musicale, elle soulève les pieds un à un, puis elle lance ses souliers directement dans la poubelle. Pling! Plong! Encore une fois, nous applaudissons à tout rompre. Ensuite, afin de clore la séquence, elle me tend la main dans un grand geste théâtral, et ordonne :

—Noémie, viens avec moi, immédiatement !

Moi, encore à genoux, je me lève d'un bond. Puis, devant monsieur Platitude et devant tous les élèves, je quitte la classe, le cœur battant et l'angoisse dans la poitrine.

Dans le corridor, je marche derrière madame la directrice. Elle s'arrête soudainement entre deux classes, s'appuie le dos contre le mur, et fixe le plafond pendant quelques secondes. Puis elle baisse les yeux, pose ses deux mains devant sa figure et reste là, sans bouger.

Au bout d'une éternité, je dis avec ma voix la plus douce :

—Vous savez, madame la directrice, l'amour peut frapper n'importe quand… Je l'ai vu dans plusieurs films, vous savez…

Madame la directrice tourne la tête, me regarde en rougissant et demande :

—Mais de quoi me parles-tu ?

—De rien, de rien…

—Bon ! Noémie ! Tu ne devais pas te rendre aux toilettes pour un besoin pressant, toi ?

—Je… Heu… Ça ne presse plus…

—Ça ne presse plus ???

—Heu… Non, je n'ai plus envie…

—Ah ! Je comprends…

—Heu… Vous comprenez… quoi ?

La directrice, troublée par tous les événements qu'elle vient de vivre, ne répond pas. Comme seule réponse, elle me prend par la main. En silence, elle m'entraîne dans le corridor, puis nous descendons l'escalier. Au rez-de-chaussée, nous marchons l'une près de l'autre. Nous nous dirigeons vers le petit local de l'infirmerie. J'entre dans le local. Le lit est vide. L'infirmière, installée à une table, relève la tête et dit le plus simplement du monde:

— Madame Lumbago est repartie chez elle.

— Grand-maman est repartie chez elle, toute seule, sous l'orage et les coups de tonnerre?

— Elle est repartie pendant une accalmie. Tout allait bien pour elle. Ne t'inquiète pas.

— Mais oui, je m'inquiète! Grand-maman est allergique

au tonnerre! Est-ce que je peux lui téléphoner?

La directrice me fait signe que oui. Je saute sur le premier appareil que je vois. Je compose le bon numéro. DRING! DRING! DRING! Soudain, j'entends la voix de son répondeur. Donc, elle n'est pas chez elle. Donc, je lui laisse mon message:

— Grand-maman, rappelez-moi vite! Heu… à l'école… Je m'inquiète…

Je raccroche. La directrice, en reprenant son rôle de directrice très directive, me donne cet ordre directif:

— Noémie, tu retournes dans ta classe! Dès que ta grand-mère appellera, nous t'aviserons.

La mine basse, je retourne à mon pupitre. Je regarde la pluie tomber. Mon cœur frémit chaque fois que je vois une ombre approcher de la porte semi-vitrée, mais personne ne vient m'avertir de rien… Pendant le reste de la journée, en écoutant monsieur Platitude, je pense à ma grand-maman chérie d'amour. J'essaie de ne rien imaginer, mais je n'y arrive pas. Le tonnerre est tombé directement sur grand-maman… Ou bien, ma grand-mère, paralysée par la peur, s'est réfugiée chez des gens qui sont des voleurs de grand-mère. Ou bien, en marchant près d'une bouche d'égout, elle a été attaquée par une bande extrémiste d'intra-terrestres liquides enragés… Ou bien…

Je sens que je vais devenir folle ; folle, zin-zin… et peut-être encore plus.

Finalement, après des siècles et des millénaires d'attente, DDDRRRIIINNNGGG! La cloche résonne pour annoncer la fin des cours. Alors que tout le monde est à moitié endormi par la voix soopooooriiiifiiiiique de monsieur Platitude, moi, je me lève en vitesse. Je cours jusqu'à ma case. J'enfile mon imperméable. Je me lance sur le perron et je m'arrête net. Grand-maman, chaussée de belles bottes de caoutchouc vert fluo, vêtue d'un imperméable rose bonbon et cachée sous un parapluie plus jaune que le soleil, m'attend sur le trottoir! Même si je suis très heureuse de la voir, je ne peux m'empêcher de la réprimander:

— Mais, grand-maman, pourquoi vous ne m'avez pas appelée? Où étiez-vous? J'étais très inquiète! J'ai failli appeler la police, l'ambulance, l'armée! On ne disparaît pas comme ça! Le téléphone, ça existe!

Grand-maman est tellement surprise par ma réaction qu'elle ne sait plus quoi dire. Et moi, je suis tellement heureuse de la voir vivante, de la voir non carbonisée par la foudre, non dévorée par les intraterrestres liquides, que je me blottis contre elle. En écoutant son vieux cœur qui accélère, je fonds en larmes. Snif... Snif... Snif...

Mais je ne pleure pas très longtemps. Un éclair jaillit dans le ciel pour annoncer la seizième fin du monde. Quelques secondes plus tard, le tonnerre roule dans le secret des nuages et vient se jeter dans l'arbre tout près de nous. Je regarde vers le haut. J'écarquille les yeux :

—ATTENTION GRAND-MAMAN !

-12-

La piscine sur le toit

Heureusement pour elle, grand-maman n'a même pas le temps de tasser son parapluie pour voir ce qui tombe du ciel, et ce qui tombe du ciel est absolument incroyable. Un écureuil, probablement effrayé par le terrible coup de tonnerre, a perdu l'équilibre sur une branche, et tombe à la renverse directement sur le gros parapluie de grand-maman. BOING! Les yeux exorbités par la surprise, l'écureuil rebondit une première fois dans les airs et retombe sur le parapluie!

RE-BOING! Cette fois, il atterrit sur le beau parapluie jaune en essayant de s'y agripper. Mais, tout ce qu'il réussit à faire, c'est de glisser lentement sur le tissu SCROUIIIINCH! en le déchirant de haut en bas avec ses griffes.

Ensuite, avant même que grand-maman n'ait le temps de s'exclamer «Mon Dieu Seigneur!», l'écureuil se laisse tomber sur mon épaule, se lance vers l'arbre, grimpe sur l'écorce et disparaît dans le feuillage. Il ne reste sur le trottoir que grand-maman et moi sous un grand parapluie déchiré.

Je n'en reviens pas!

— Mon Dieu Seigneur, quelle étrange journée!

— Grand-maman! J'en ai assez! Retournons vite à la maison!

Sur le chemin du retour, grand-maman ne cesse de faire tourner son parapluie pour éviter l'eau qui coule par la longue déchirure. En vitesse elle m'explique tout ce qu'elle a vécu aujourd'hui. Après avoir été à l'infirmerie, elle est retournée chez elle, mais, comme il n'y avait plus d'eau ni dans les robinets ni dans la cuvette, elle a décidé de quitter son logement pour aller faire des emplettes, bien à l'abri, dans un centre commercial. Donc, pendant que je m'inquiétais, m'affolais, angoissais terriblement, ma chère grand-maman trottinait d'un magasin à un autre. Pendant que moi, je me faisais du souci, elle mangeait des *sushis*. Pendant que je me demandais dans quel hôpital elle se trouvait, elle magasinait des parapluies, des bottes, des imperméables…

Il y a des jours où la vie n'est pas facile…

De retour à la maison, nous montons en vitesse chez grand-maman. Nous nous asséchons, puis elle ouvre le robinet pour emplir la théière. Mais rien ne coule! Grand-maman referme le robinet, se rend à la salle de bain, ouvre le robinet. Rien! Elle le referme. Il y a de l'eau partout, dehors, mais il n'y en a pas dans la maison.

Soudain, j'y pense:

—Je crois que ce matin, mon père a fermé l'entrée d'eau de toute la maison.

—Mon Dieu Seigneur… Comment il a fait ça?

—Je ne sais pas! Il a fermé quelque chose dans le sous-sol

et l'eau a cessé de couler dans tous les robinets.

Grand-maman me regarde. Je regarde grand-maman. Puis, sentant qu'elle pense comme moi, je dis :

— Je ne sais pas où se trouve ce « quelque chose dans le sous-sol ».

Elle ajoute :

— Il n'est pas question d'aller fouiller là-dedans !

— Non ! Il est arrivé assez de malheurs, aujourd'hui !

Et là, en disant le mot « malheur », il me vient une curieuse impression de déjà-vu, de déjà entendu. J'entends un curieux BLOUP ! venir du plafond. Puis, cette impression très étrange se transforme tout à coup en surprise, mais je ne peux pas dire

146

que ce soit une bonne surprise! Une goutte d'eau tombe directement sur la table de la cuisine, aussitôt suivie par une autre goutte. Horreur! Le plafond de la cuisine coule! Les gouttes tombent de plus en plus rapidement! Grand-maman se précipite vers les armoires. Elle se penche, fouille, et revient avec un grand bol qu'elle place directement sous les gouttes. PLOC! PLOC! PLOC!

—Grand-maman, vous êtes un génie!

—Lorsque j'étais une jeune fille, le plafond de la maison coulait à chaque orage!

Soudain, d'autres gouttes tombent un peu plus loin sur le plancher. Grand-maman se précipite à nouveau pour déposer un chaudron à l'endroit où tombent les gouttes.

Et puis, horreur totale, la dix-septième fin du monde s'annonce goutte à goutte. D'autres gouttelettes commencent à tomber un peu partout comme s'il se mettait à pleuvoir dans la cuisine. En vitesse, grand-maman et moi nous plaçons des contenants de toutes sortes sur le plancher, sur le comptoir, sur la cuisinière, sur le réfrigérateur.

En essayant de cacher l'état de panique avancé dans lequel elle se trouve, grand-maman dit d'une voix chevrotante :

— Bientôt, nous n'aurons plus assez de contenants !

Moi, tout énervée, je réfléchis en vitesse et je comprends qu'il y a quelque chose que je ne comprends pas. Je veux dire que je ne comprends pas pourquoi le plafond coule autant. Ça ne se peut pas. Habituellement, dans les films ou les livres, un plafond coule à un endroit précis, quelquefois à deux endroits à la fois, mais jamais autant que ça!

Je demande:

— Votre toiture, lorsque vous étiez petite, elle était comment?

— Comment, «elle était comment»?

— Grand-maman, vite! La toiture qui coulait, comment elle était faite?

— Heu… en bois recouvert de bardeaux, je crois…

— Non, mais je veux dire, quelle forme elle avait la toiture?

— Ah! Elle était pointue…

—C'est bien ce que je pensais! Notre toiture à nous, elle est plate!

—Comment le sais-tu?

—J'y suis montée souvent… avec mon père!

—Noémie!

—J'y suis montée souvent… en cachette!

En disant cela, j'ouvre la porte qui donne sur le balcon arrière et, avant même que grand-maman me demande de redescendre, je grimpe l'échelle accrochée au mur. J'arrive en haut et je comprends ce que je ne comprenais pas. Le toit de la maison est plat, avec des rebords qui montent de chaque côté. Il ressemble à une grande piscine remplie d'eau. Il doit bien y avoir un trou, quelque part, un trou qui est bouché et qui empêche l'eau de s'écouler.

Grand-maman, sur le balcon, crie :

—Noémie, redescends tout de suite !

Malheureusement pour elle, un avion passe dans le ciel. Je n'entends pas ce qu'elle me demande. Je quitte le haut de l'échelle, et en sautant sur le toit, je réponds :

—Ne vous inquiétez pas ! Je vais sauver la situation ! Je vais sauver la maison ! Je vais vider la fin du monde et je reviens tout de suite !

Je patauge sur le toit en marchant dans l'eau froide... Je m'avance vers le milieu de la toiture et je constate que l'eau

monte. J'en ai maintenant jusqu'aux genoux.

Je réfléchis encore. Si l'eau s'est accumulée sur le toit... c'est que... à l'endroit le plus bas... je devrais toucher à... oui, oui, je devrais toucher à... Je me penche, fouille avec la main, et touche à quelque chose qui ressemble à de la boue... de la boue dégueulasse formée par un paquet de feuilles mortes, mélangée à des samares d'érables... Le cœur battant, je dégage cette boue, et tout de suite, là, maintenant, immédiatement, j'entends l'eau qui s'engouffre dans le renvoi. Ensuite, je vois l'eau qui tourbillonne, qui fait un remous en dégringolant. Le niveau commence à descendre! YOUPPI! Je suis un génie!

L'eau descend dans le renvoi à une vitesse folle. Après plusieurs minutes, il ne reste que de minuscules flaques sur le toit. Près du trou, je remarque une petite boule de broche qui traîne sur le côté… En toute logique, cette petite boule de broche devrait protéger et retenir les débris pour ne pas que le renvoi d'eau se bouche. Je dégage donc le contour du renvoi, puis je place la petite boule de broche par-dessus le tout. Voilà ! Heureuse du résultat, je redescends l'échelle, saute sur le balcon arrière, entre dans la cuisine et aperçois grand-maman qui fixe le plafond :

—Noémie, je ne sais pas ce que tu as fait, mais plus rien ne coule !

—C'est ça, le génie, grand-maman!

Nous vidons tous les récipients dans l'évier de la cuisine. Nous les essuyons. Nous les replaçons dans les armoires. Nous passons la vadrouille sur le plancher. Nous l'essorons, nous la replaçons dans la grande armoire et pluie pluie rien... Excusez-moi, et pluie plus rien... et puis pluie rien... Oups! Excusez moi, encore. Je recommence: et puis plus rien!

Il ne se passe plus rien! Mais vraiment rien de rien. Je n'en reviens pas. Le plafond ne coule plus.

Grand-maman sort une belle grosse lasagne du réfrigérateur, elle la place amoureusement dans le four de la cuisinière:

—Mon Dieu Seigneur, il n'y a rien de plus réconfortant qu'une bonne lasagne.

—Ça, c'est vrai!

Pendant que la lasagne commence à se réchauffer dans le four, grand-maman et moi, nous nous assoyons l'une devant l'autre et nous écoutons les tics tacs de l'horloge. Le serin commence à chanter dans sa cage. Le chat apparaît dans le corridor. En ronronnant, il vient se placer sur mes genoux. Je bois un grand verre de lait. C'est le bonheur calme et plat… Je ne peux pas dire que je m'ennuie, je suis juste un petit pleut surprise… excusez-moi, un petit peu surprise.

Tout à coup, DRING! DRING! la sonnerie du téléphone résonne

dans l'appartement. Grand-maman, sans s'énerver, répond :

— Oui, allo dans l'eau !

Je rigole ! Grand-maman aussi.

Après cette bonne blague, la figure de grand-maman change du tout au tout. Elle fronce les sourcils en disant :

— Quoi ? Comment ? Mon Dieu Seigneur, mais c'est incroyable !

-13-

Le monde est à l'eau

Grand-maman raccroche. Elle se tourne vers moi et me demande :

—Tu ne devineras jamais?

Comme je n'ai pas de temps à perdre avec des devinettes, surtout par une journée pareille, je dis :

—Quoi?

—Ton père et ta mère sont au coin de la rue...

—Oui, et alors?

—En automobile!

—Quoi? Ils ont eu un accident?

—Non, ils sont en panne!

—Ah!

—Ils sont en panne dans le fond d'un viaduc!

—Comment ça?

—L'automobile est restée coincée dans un mètre d'eau dans le fond d'un viaduc! Ils viennent de se faire remorquer. L'automobile est au garage et ils s'en viennent en taxi!

Je n'en reviens pas. Pendant que la bonne odeur de la lasagne embaume toute la cuisine, je me lance dans le salon pour écouter la télévision. Je change de poste à toute vitesse, puis je tombe sur un reportage, en direct. Dans certains secteurs de la ville, l'orage a été tellement violent que certains égouts n'ont pas pu absorber l'eau. Des viaducs sont inondés, des automobilistes sont restés coincés dans leur automobile. Il y a des embouteillages à plusieurs endroits… Oh là là!

J'éteins le téléviseur. Grand-maman et moi, nous nous rendons sur le balcon d'en avant pour attendre mes parents. Nous descendons l'escalier afin de jaser un peu avec nos voisins:

—Incroyable toute cette averse!

—C'était vraiment le déluge!

—Des branches sont tombées des arbres!

—Et même des écureuils!

—Et patati pata pluie!

Au bout de vingt minutes, un taxi s'approche et ralentit devant la maison. Mes deux parents descendent du véhicule, les épaules basses, les yeux hagards, les cheveux dépeignés.

Sans dire un mot, ils se dirigent vers la maison. Nous entrons tous les quatre dans notre appartement, puis nous nous installons dans le salon.

—Quelle journée de fou! lance ma mère.

—Une journée d'enfer! répond mon père.

—Rien que des malheurs à l'école!

—Heureusement, tout ça est terminé, lance grand-maman.

Puis elle ajoute:

—Je vous invite tous à venir chez moi. J'ai fait réchauffer de la bonne lasagne! Le seul problème, c'est que je n'ai pas d'eau… en haut!

Mon père se lève et se dirige vers l'escalier qui mène au sous-sol en disant :

—Oh ! excusez-moi ! En panique, ce matin, j'ai fermé l'alimentation de l'eau pour toute la maison. Je vous arrange ça tout de suite.

—C'est très gentil, répond grand-maman.

Mon gentil papa descend au sous-sol. Quelques secondes plus tard, sans aucun avertissement de sa part, c'est la dix-huitième fin du monde qui s'amorce. Grand-maman, ma mère et moi, nous figeons sur place. La maison vibre sur ses fondations. Un sifflement sourd se fait entendre, comme si des intraterrestres liquides fous furieux circulaient de la cave jusqu'au toit. Les tuyaux craquent et claquent dans les murs. Et puis soudain, PSHOUITTT! nous entendons des geysers exploser un peu partout.

L'eau, propulsée par le robinet grand ouvert de la cuisine, se lance dans le fond de l'évier et bondit jusqu'au plafond.

L'eau gicle par le robinet grand ouvert de l'évier de la salle de bain.

Même chose avec le robinet de la baignoire.

L'eau gicle à trois endroits différents et nous sommes trois, ma mère, ma grand-maman et moi… Non, ce n'est plus vrai! Nous sommes maintenant quatre. Mon père vient tout juste de remonter du sous-sol en hurlant comme un enragé.

— Vite ! Vite ! Il faut fermer les robinets !

D'accord ! Mais comme nous n'avons ni l'habitude ni l'entraînement nécessaire pour nous lancer sur des robinets en furie, nous ne sommes pas coordonnés. Dans la frénésie la plus totale, nous nous élançons tous les quatre, à l'épouvante, dans toutes les directions en même temps. Et là, je dois bien l'avouer, en ce moment nous sommes vraiment, mais vraiment une famille en dysfonctionnement total. Je veux me lancer vers la salle de bain. Ma mère aussi. Nous nous frappons toutes les deux contre mon père qui voulait se rendre à la cuisine. BANG ! Nous bifurquons en pivotant sur nous-mêmes. Pendant ce temps, grand-maman, qui voulait elle aussi se rendre à la cuisine, essaie de nous éviter. Mais, comme elle n'est pas très rapide, nous la heurtons au passage. Elle pivote comme une toupie, puis elle tombe sur un canapé.

Pendant que les robinets coulent à flots en relançant de l'eau sur les plafonds et les murs, nous essayons, mon père, ma mère et moi, de nous organiser, en panique, pour nous rendre à un robinet. Après quelques hésitations, bifurcations et contusions, mon père crie :

—Tassez-vous ! Je vais dans la cuisine !

Donc, selon toute logique, ma mère et moi, nous devons nous rendre dans la salle de bain. Elle se précipite vers la baignoire pendant que je m'approche du robinet de l'évier en plaçant mes mains devant moi pour faire un bouclier. L'eau ruisselle de partout, mais, malgré tout, je réussis à fermer le robinet sans me faire attaquer par des intra-terrestres liquides! FIOU!

Ensuite, je me retourne. Et là, c'est plus fort que moi, je pouffe de rire en voyant ce que je vois. Ma mère, debout dans la baignoire, vient de fermer son robinet. Elle est trempée de la tête aux pieds. Son beau tailleur est imbibé d'eau. Ses cheveux sont collés sur son visage. Son maquillage coule sur ses joues. Mon père, avec son bel habit tout mouillé et sa belle cravate dénouée, arrive dans la salle de bain. En voyant ma mère, debout dans la baignoire, il écarquille les yeux et il commence à rire d'un rire nerveux. Grand-maman arrive à son tour, nous observe et se met à rigoler elle aussi.

—Hiii! Hiii! Hiii! Et Haaa! Haaa! Haaa!

Puis mon père cesse de rire d'un coup sec. Il nous regarde et demande, exaspéré:

—Mais qui donc avait ouvert tous les robinets?

Encore une fois, tous les regards se tournent vers moi avec un air accusateur. Mon sang se transforme en eau glaciale. De longs frissons polaires couvrent ma peau. J'essaie de retenir le flot de mes larmes, mais c'est impossible. Les barrages sautent sous la pression. Je me mets à pleurer et à pleurer et à pleurer. Toutes les émotions provoquées par les dix-huit fins du monde de la journée coulent sur mes joues.

Lorsque je n'ai plus d'eau dans les yeux, je finis par balbutier :

— Snif… ce matin… en criant du sous-sol… snif… vous m'avez demandé d'ouvrir les robinets pour voir si l'eau coulait encore… snif… snif… Elle ne coulait plus… Vous m'avez répondu : «C'est parfait! C'est parfait! C'est parfait!» Personne ne m'a demandé de les refermer, ces robinets… Snif… Snif…

En me caressant les cheveux, grand-maman murmure :

— Bon! Si je comprends bien, c'est la faute de tout le monde!

Trempée de la tête aux pieds, je me blottis contre ma belle grand-maman d'amour. Je dégoutte sur le plancher devant mon père et ma mère qui, eux aussi, dégoulinent. Si ça continue comme ça, nous allons bientôt nous retrouver dans une flaque, une mare, un lac, un océan…

Mon père dit de son petit ton sec et scientifique :

—Bon, c'est bien beau tout ça, mais maintenant, il faut passer à l'action.

Nous nous retournons vers mon père, qui précise :

—Il faut éponger le plancher, sinon il va s'imbiber d'eau et il va gondoler !

—Oui, mais avant, il faut enfiler des vêtements secs, dit ma mère.

Je me lance dans ma chambre, me débarrasse de mes vêtements mouillés et enfile mon pyjama préféré. Je vais rejoindre mes

Au bout d'une heure, il ne reste plus d'eau nulle part. Les planchers, les murs, les comptoirs sont parfaitement secs. Secs comme des biscuits secs... Les éponges, les guenilles et les vadrouilles sont remisées. La maison est impeccable. Les planchers brillent. Les murs aussi.

Heureux du résultat, nous nous laissons tomber sur les canapés du salon et nous nous sourions béatement. Les malheurs sont terminés... pour aujourd'hui.

Fiou!

Mais soudain, mon père fronce les sourcils.

Ma mère relève le nez. Elle inspire profondément.

J'inspire à mon tour. Je sens une odeur que je n'arrive pas à identifier.

Tout à coup, grand-maman jette un coup d'œil au plafond. Puis, comme si elle était propulsée par une catapulte invisible, elle bondit hors du canapé en s'écriant :

— MON DIEU SEIGNEUR !

Ma mère, mon père et moi nous relevons la tête à notre tour. Je ne vois rien de spécial au plafond. Il est blanc comme d'habitude. Mais, à force d'inspirer profondément, je commence à percevoir de mieux en mieux l'odeur désagréable qui vient d'en haut :

Non ! Pas une autre fin du monde !?!?

-14-
Au feu!

Le monde accélère encore une fois à la vitesse grand V. C'est-à-dire à la plus grande vitesse au monde : la vitesse de la lumière... Je dirais même qu'il accélère à la double vitesse grand V. Et sans même exagérer, à la triple vitesse grand V... Je n'ai même pas le temps de baisser les yeux, mes parents n'ont même pas le temps de réagir que ma grand-mère se précipite vers la porte d'entrée en criant :

— Ma lasagne ! J'ai oublié ma lasagne dans le four !

En panique totale et absolue, grand-maman quitte la maison en laissant la porte ouverte derrière elle. Mon père, ma mère et moi, nous nous précipitons dehors, en pyjama, pour la rejoindre. Mais nous nous arrêtons net sur le trottoir où déjà, des curieux, la tête relevée, regardent vers l'appartement de grand-maman. Horreur! En haut, une épaisse fumée noire sort par la fenêtre du salon et monte en tourbillonnant vers les nuages. Ça y est, la dix-neuvième fin du monde vient de nous frapper.

En criant « Ma lasagne! Ma lasagne! J'ai oublié ma lasagne dans le four! », Grand-maman amorce un mouvement pour monter l'escalier. Mais ma mère l'arrête tout de suite en objectant :

—Non! Attendez! Ce n'est pas prudent! Il y a trop de fumée!

Ma mère amorce alors un mouvement vers le haut, mais aussitôt, mon père l'arrête en hurlant:

—Non! Ne monte pas! Ce n'est pas prudent!

Mon père amorce un mouvement vers le balcon, mais je me précipite sur lui en le retenant par une jambe

—Papa! Arrête! Ce n'est pas prudent!

Au même instant, nous figeons sur place. Le cri strident d'une sirène de pompiers approche à toute vitesse. Dans un vacarme épouvantable de klaxons et de pneus qui crissent, un gros camion rouge tourne au coin de la rue et se précipite vers nous.

Le camion s'immobilise devant la maison en freinant bruyamment. Les gyrophares tournent à toute vitesse. À l'intérieur du camion, on entend toutes sortes de voix qui semblent sortir de différents émetteurs. Les portes s'ouvrent. Des pompiers atterrissent sur le trottoir. Et puis, semblable à un extraterrestre sorti tout droit d'un film de science-fiction, je vois apparaître un immense pompier habillé d'une sorte de scaphandre anti-feu, et à l'épreuve de la chaleur… Toute sa tête est couverte d'un masque relié à des bonbonnes d'oxygène. Il est armé d'une hache énorme et il s'avance vers nous, à pas lourds, au ralenti. BLING! BLING! BLING! Tout le monde recule sur son passage.

Grand-maman, effrayée, se précipite quand même vers lui :

—Monsieur le pompier ! J'ai oublié ma lasagne dans le four !

Derrière son masque, l'extra-terrestre demande d'une voix caverneuse :

—Est-ce qu'il y a quelqu'un dans l'appartement ?

—Non, répond grand-maman, mais il y a mon chat et mon petit serin d'amour !

—Ne bougez pas ! répond l'extraterrestre.

—Reculez ! Reculez ! ordonnent d'autres pompiers en installant une zone de sécurité autour de la base de l'escalier.

Pendant que d'autres pompiers déroulent de longs tuyaux et pendant que des curieux s'agglutinent sur les lieux du drame, le pompier extraterrestre commence à gravir les marches qui craquent sous son poids.

Rendu en haut, il s'arrête sur le balcon. Il ajuste son masque… Il ouvre lentement la porte d'entrée. Une épaisse fumée noire sort par l'ouverture. Le chat de grand-maman, dans un miaulement épouvantable, se précipite hors de la maison, déboule l'escalier à toute vitesse et disparaît derrière la masse de curieux. Personne ne s'occupe du chat. Tout le monde a les yeux rivés sur l'extraterrestre, qui referme la porte et disparaît lentement comme s'il était avalé par la fumée.

Sur le trottoir, les curieux cessent de parler. Grand-maman, mon père, ma mère et moi, nous retenons notre souffle. Sans même nous consulter, nous nous prenons par la main et nous attendons. Nous ne savons pas ce que nous attendons, mais nous attendons, et moi, je déteste attendre. Alors, en attendant je ne sais quoi, mon cerveau imagine toutes sortes de choses que je ne veux pas imaginer. J'essaie de ne pas imaginer toutes les photographies de grand-maman qui brûlent, tous ses souvenirs qui partent en fumée, toutes ses choses, comme ses robes, ses chapeaux, qui se transforment en cendres… Et là, je me dis que la vie est mal foutue. Là, présentement, la pluie diluvienne serait la bienvenue. Là, maintenant, nous aurions besoin de toute l'eau accumulée sur le toit pour éteindre le feu… mais il ne tombe que de ridicules petites gouttelettes.

Tout à coup, la porte d'en haut s'ouvre d'un coup sec. De la grosse fumée noire s'élève vers le ciel. Complètement sidérés, nous voyons apparaître la cage du serin, exactement comme si elle flottait dans les airs. Puis nous voyons apparaître le bras tendu de l'extraterrestre. Son corps qui émerge lentement de la fumée. Grand-maman s'écrie :

— Mon Dieu Seigneur !

L'extraterrestre se penche et place la cage sur le bord de l'escalier. Silence dans la foule. Chacun regarde attentivement. Mais on ne voit rien qui bouge. C'est comme si le serin avait disparu. On ne le voit pas. On n'entend aucun pit-pit, aucun roucoulement, aucun piaillement. Rien. De rien. De rien. Pendant que l'extraterrestre retourne courageusement dans la maison, un autre pompier grimpe les marches, s'empare de la cage et redescend.

Tous les curieux se précipitent vers le bas de l'escalier.

Moi, je n'ose regarder derrière les tiges de métal, mais je sens la main de grand-maman se crisper sur la mienne. Je l'entends murmurer :

— Ah non… Ah non, ce n'est pas vrai…

Je risque un œil vers la cage et je ne vois rien sur les perchoirs. Je me lève sur le bout des pieds, et j'aperçois le petit serin couché sur le côté. Il ne bouge pas. Il ne chante pas. Il ne fait rien. Il est immobile comme une pierre, comme une pierre de plumes… Alors là, c'est la vraie, de vraie, de vraie fin du monde qui nous tombe dessus, la vingtième, dernière et fatale, fin du monde…

Des larmes emplissent mes yeux. Je me blottis contre mon père. Il ne dit rien. En haut, la fumée continue de sortir par les fenêtres et tout à coup, nous voyons apparaître l'extraterrestre. Il s'avance sur le balcon avec, dans les mains gantées, la lasagne qui fume comme une grosse cheminée.

L'extraterrestre laisse la porte grande ouverte pour faire sortir la fumée de la maison. Il descend lourdement les marches en tenant solennellement la lasagne.

-15-

La grande surprise

Nous attendons sur le trottoir, face à la lasagne qui ne fume plus... et face à l'oiseau qui ne bouge plus.

Les pompiers s'activent dans l'escalier. Ils montent et descendent. L'un d'entre eux discute de sécurité avec mon père qui hoche la tête et qui signe des papiers.

Puis l'extraterrestre redescend lourdement l'escalier et s'engouffre dans le camion. Le chef des pompiers dit dans un micro accroché à son épaule :

—C'est beau, les gars, on lève le camp!

Pendant que les pompiers roulent des tuyaux pour les remiser dans le camion, une très vieille dame s'approche de nous. Elle se penche vers l'oiseau et murmure, comme si elle se parlait à elle-même:

—Il m'est déjà arrivé une situation semblable…

Nous la regardons avec étonnement.

—Votre oiseau est peut-être seulement asphyxié, ajoute la très vieille dame. Il a manqué d'air…

Nous la regardons avec encore plus d'étonnement.

La très vieille dame ouvre la porte de la cage, s'empare délicatement du petit serin et l'approche de sa bouche.

Nous la regardons avec encore et encore plus d'étonnement.

Le gros camion rouge frémit. Il semble glisser le long du trottoir, puis, il disparaît aussi vite qu'il est venu. Pendant ce temps, la très vieille dame, comme si elle était seule au monde, commence à souffler lentement sur le serin. Elle souffle de longues et profondes expirations… mais il ne se passe rien. Vraiment rien. Seul le duvet frémit un peu. Et la dame continue, lentement, profondément… Et elle continue de souffler et c'est plus fort que moi, je m'approche et je commence, moi aussi, à souffler sur l'oiseau. Et tout à coup, à ma grande surprise, grand-maman fait la même chose, suivie par ma mère, qui elle aussi souffle doucement sur l'oiseau immobile, et puis des voisins et des voisines font la même chose. Nous sommes une dizaine à souffler lentement et profondément sur le petit serin… Et puis…

Et puis mon père, sur un petit ton sec et scientifique, soupire :

—Mais voyons donc, ce n'est pas possible ces choses- là…

Nous continuons à souffler et à souffler, et puis, pendant une fraction de seconde, il me semble que le petit serin a bougé une patte. Nous continuons à souffler et à souffler, mais le plus lentement possible pour ne pas l'effrayer. Et puis, non, je ne rêve pas. L'autre patte a bougé elle aussi. Et puis tout à coup, le serin tourne la tête. Il émet un petit piaillement, suivi par un incroyable roucoulement. L'oiseau se retourne et se dresse sur ses pattes, puis avant même que la dame n'ait le temps de le remettre dans sa cage, il ouvre les ailes et s'envole.

Il fait quelques vrilles au-dessus de nos têtes, mais au lieu de s'envoler dans les hauteurs du ciel, il plonge directement dans sa cage, s'installe sur une tige de bois, frotte ses ailes ensemble et se met à roucouler de bonheur. Tous les curieux qui ont assisté à la scène applaudissent de joie. Puis, après quelques minutes d'étonnement, chacun s'éloigne en papotant:

— Non, mais c'est incroyable!

— As-tu vu comme j'ai bien soufflé?

— Mais non, c'est moi qui souffle bien!

—Mais non, c'est moi ! J'ai déjà joué de la trompette !

—Et moi de la flûte…

Sans dire un mot, je referme la porte de la cage. Grand-maman la soulève et, les yeux brillants, elle regarde son oiseau en lui parlant la langue des canaris. Elle fait des TWUIT ! TWUIT ! TWUIT ! Elle lance des VRIIII ! VRIIII ! VRIIII ! Elle siffle des RRRRWITTT ! RRRRWITTT ! RRRRWITTT !

Et son oiseau lui répond exactement la même chose. TWUIT ! TWUIT ! TWUIT ! VRIIII ! VRIIII ! VRIIII ! et RRRRWITTT ! RRRRWITTT ! RRRRWITTT !

Après cette étonnante discussion, grand-maman se penche, s'empare de sa lasagne carbonisée, fait quelques pas et la jette dans une poubelle. Puis, les mains vides, elle regarde vers son balcon et soupire :

— Bon ! Il faut monter, maintenant !

-16-

Et ensuite...

En tenant la cage à deux mains, grand-maman commence à monter l'escalier. Mon père, ma mère et moi, nous la suivons en silence. Nous nous engouffrons dans l'appartement rempli de fumée. Il y règne une véritable atmosphère de vingt-et-unième fin du monde... C'est à peine si on distingue les murs, les cadres et les canapés. Mais heureusement, nous commençons à avoir un peu d'expérience dans la gestion des malheurs. Nous ouvrons toutes les portes et toutes les fenêtres de l'appartement afin de provoquer un courant d'air. Mais ce n'est pas très efficace parce qu'il ne vente pas beaucoup. Alors, nous secouons de grands draps afin de faire sortir la fumée, mais cette méthode n'est pas efficace non plus. Nous allons chercher tous les ventilateurs que nous possédons et nous en faisons tourner les hélices à pleine vitesse. Je me sers même d'un séchoir à cheveux afin de pousser la fumée vers l'extérieur. Ça, c'est efficace!

Finalement, après une heure, nous éteignons les ventilateurs. Il n'y a plus de fumée dans la maison et il n'y a plus rien dans nos ventres. Nous sommes affamés. Nos estomacs gargouillent.

—Je n'ai plus de lasagne, soupire grand-maman. Voulez-vous que je réchauffe de la soupe?

Mon père, ma mère et moi, nous imaginons la soupe qui déborde sur le poêle, le fond du chaudron qui devient noir, la fumée qui s'élève. Alors, d'une même voix, nous répondons:

—NON!

—Avez-vous du saumon fumé? demande ma mère pour détendre l'atmosphère.

—Ou des rôties, que j'ajoute en riant.

—Ou de la crème brûlée, demande mon père en rigolant.

Nous avons tellement faim que nous ne prenons pas le temps de rigoler plus longtemps. Encore une fois, sans même nous consulter, et par souci d'efficacité, nous nous précipitons tous les quatre sur la solution la plus rapide. Nous sautons sur les boîtes de céréales, nous nous remplissons de gros bols, nous y ajoutons du lait et nous mangeons, debout, les uns près des autres en faisant des «Miam! Miam!» de contentement et de soulagement.

En dévorant mes céréales, je pense et repense à tous les malheurs que j'ai vécus pendant la journée. Je suis certaine que mes parents et ma grand-mère font la même chose parce que leurs fronts sont tout plissés. Ils mangent, debout, en se dandinant sur une jambe et sur l'autre, et on dirait que de nouvelles rides sont apparues sur leur visage. Mais je ne leur en parle pas. Je dis seulement :

— Attention à ne pas vous étouffer avec les flocons d'avoine! Attention à ne pas vous mordre la langue! Attention à ne pas avoir de crampes dans les bras en mangeant trop vite! Attention à ne rien échapper par terre!

Heureusement, il n'arrive aucun malheur ni aucune catastrophe ni aucune fin du monde en mangeant. Mais nous sommes sur nos gardes! Nous lavons la vaisselle en faisant bien attention à ne pas répandre de l'eau sur les comptoirs. Nous essuyons les ustensiles en faisant bien attention à ne pas nous couper. Nous balayons le plancher en faisant bien attention à ne pas nous crever un œil avec le manche du balai. Grand-maman fait réchauffer du thé et nous restons tous les quatre devant la cuisinière pour être bien certains que rien ne brûlera. Mes parents boivent un peu de thé en faisant bien attention à ne pas se brûler les lèvres. Moi, je bois un verre de lait en faisant tout ce que je peux pour ne pas m'étouffer. Ensuite, en nous tenant par la main, pour que personne ne se perde, nous nous rendons dans le salon et nous nous laissons tomber sur les canapés. Ma mère soupire :

— Finies les catastrophes pour aujourd'hui !

Moi, malgré mon optimisme légendaire, je me méfie de tout.

Grand-maman s'empare de la télécommande. Elle appuie sur le petit bouton. Fiou ! Le téléviseur n'explose pas. Le plafond ne s'écroule pas. Le plancher ne s'ouvre pas.

Grand-maman demande :

— Voulez-vous regarder quelque chose en particulier ?

— N'importe quoi, répond mon père, pourvu que j'oublie cette foutue journée.

— N'importe quoi, ajoute ma mère, pourvu que ce soit sec !

— N'importe quoi, que je réponds, pourvu qu'il n'y ait pas de fumée !

Avec la télécommande, grand-maman passe d'une chaîne à l'autre… Clic ! Clic ! Clic ! Mais ce soir, nous n'avons vraiment pas de chance. Nous tombons sur un film intitulé *Les parapluies de Cherbourg.* Clic ! Sur une autre chaîne, nous tombons sur un reportage concernant la saison des pluies dans les régions tropicales. Clic ! Plus loin, un reportage sur les feux de forêts. Clic! Plus loin, l'histoire d'une maison ravagée par les flammes.

Mon père se lève :

—Bon, moi, je n'en peux plus. Je… je vais faire une promenade dehors…

—Pour aller où ? demande ma mère.

—Je… je ne sais pas… je vais… Tiens, je vais acheter un nouveau réveille-matin.

Moi, je réfléchis en vitesse. J'imagine toutes les catastrophes qui pourraient survenir. Mon père pourrait se fouler le poignet en tournant la poignée de la porte. Il pourrait glisser dans l'escalier. Il pourrait trébucher sur le trottoir. Des écureuils pourraient tomber sur sa tête… Le feu pourrait surgir de ses souliers…

Je me lève d'un bond pour dire à mon père:

—Papa, je préfère que tu restes ici, avec nous…

—Pourquoi donc?

Alors, en empruntant mon ton le plus sec et le plus scientifique, je réponds:

—Parce que tu es en pyjama! Et on ne va pas faire de promenade en pyjama!

Devant un argument aussi logique, mon père s'assoit en grognant. Il se renfrogne. Il boude un peu. Nous regardons les chaînes défiler les unes après les autres sans pouvoir faire un choix. Et puis soudain, les grognements de mon pauvre père, épuisé par cette journée de fou, se transforment en petits ronflements.

Eh bien, je n'en crois pas mes oreilles!

Deux minutes plus tard, c'est au tour de ma mère de s'endormir.

Eh bien!

Deux autres minutes plus tard, la main de grand-maman s'ouvre toute seule. Elle s'endort en laissant tomber la télécommande.

Eh bien!

Entourée par toute ma famille qui roupille, je reste seule devant la télé. Je m'empare de la télécommande pour tenter de trouver une émission intéressante. Clic! Clic! Clic! Mais tout à coup, en écoutant ce que mes oreilles ne veulent pas percevoir, je veux dire en percevant ce que mon cerveau ne veut pas analyser, j'entends tout à coup, par la fenêtre grande ouverte, la pluie qui commence à tomber doucement, puis de plus en plus vite, puis soudain, encore une fois, c'est le déluge!!! Sans dire un mot pour ne pas réveiller tous les endormis autour de moi, je quitte le canapé et je ferme toutes les fenêtres de la maison. Ensuite, je vais me rasseoir devant la télé. Je baisse le son au minimum et j'écoute la pluie tomber en me disant que, finalement, tout est bien qui finit bien. Mes parents et ma grand-maman, affalés sur les canapés, roupillent près de moi. La pluie, Ploc! Ploc! Ploc!, peut pleuvoir tant qu'elle peut... Je me dis qu'il n'y a plus aucun danger. Aucun malheur ne peut me surprendre: le renvoi d'eau a été débouché sur le toit, les fenêtres sont fermées... Tout va bien...

Tout va très bien...

Mais, juste au moment où je vais fermer les yeux pour

m'endormir, je sursaute. La pluie s'abat violemment contre la fenêtre du salon. Incroyable! On dirait que l'orage au complet veut s'engouffrer dans le salon! Ensuite, un éclair illumine le ciel. Une fraction de seconde plus tard, un terrible coup de tonnerre fait vibrer toute la maison. Grand-maman et mes parents sursautent, ouvrent un œil, puis se rendorment en roupillant.

Et puis soudain, PFUUIII... sans aucun avertissement, le monde cesse de tourner. Le téléviseur s'éteint tout seul. Les lumières de la maison s'éteignent toutes seules. Les lumières du quartier s'éteignent toutes seules, comme si quelqu'un, quelque part, avait débranché toute la ville. C'est la panne d'électricité! Horreur! Il fait noir! Noir! Et

encore plus noir que noir ! Je…
j'aurais l'impression d'être complètement perdue dans l'obscu-
rité totale s'il n'y avait pas tous
les ronflements qui m'entourent.

J'ai peur ! Je glisse ma main
gauche dans celle de mon père
et l'autre main dans celle de
grand-maman. Et puis tout à
coup, mon sang se glace dans
mes veines. J'entends… J'entends
un curieux grattement provenir
de la porte avant… Ah non ! Des
intraterrestres liquides rampent
sur le balcon. Ils vont grimper le
long de la porte. Ils vont s'infiltrer
par le trou de la serrure. Ils vont
s'agglutiner dans le vestibule,
puis ils vont se lancer sur nous
et ce sera… ce sera vraiment,
totalement, absolument… la fin
du…

Alors, c'est plus fort que moi, dans le noir total et absolu, je prends une profonde inspiration, j'ouvre la bouche et je crie à tue-tête :

— LES INTRATERRESTRES LIQUIDES NOUS ATTAQUENT! AU SECOURS! C'EST LA VINGT-DEUXIÈME FIN DU MONDE!

GILLES TIBO

Illustrateur pendant plus de vingt ans, Gilles Tibo a, un jour, délaissé les images pour les mots. Enthousiasmé par l'aventure de l'écriture, il a créé de nombreux personnages pour tous les âges et tous les publics. Ses livres, traduits en plusieurs langues, lui ont valu de nombreux prix tant au Canada qu'à l'étranger. Nous lui devons plusieurs séries à succès, dont la plus célèbre: la série des *Noémie*, déjà appréciée par des centaines de milliers de lecteurs.

LOUISE-ANDRÉE LALIBERTÉ

Quand elle était petite, pour s'amuser, Louise-Andrée Laliberté inventait toutes sortes d'histoires pour décrire ses gribouillis maladroits. Maintenant qu'elle a grandi, les images qu'elle crée racontent elles-mêmes toutes sortes d'histoires. Louise-Andrée crée avec bonne humeur des images, des décors ou des costumes pour les musées et les compagnies de publicité ou de théâtre. Tant au Canada qu'aux États-Unis, ses illustrations ajoutent de la vie aux livres spécialisés et de la couleur aux ouvrages scolaires ou littéraires. Elle illustre pour vous la série Noémie.

SÉRIE NOÉMIE

Noémie a sept ans et trois-quarts. Avec madame Lumbago, sa belle grand-maman d'amour en chocolat, Noémie apprend la vie. Au cours des différentes aventures, pleines de rebondissements et de péripéties, notre jeune héroïne découvre la tendresse, la complicité, l'amitié, l'amour et la persévérance… Coup de cœur garanti !

Fiches d'exploitation pédagogique

Vous pouvez vous les procurer sur notre site Internet
à la section jeunesse / matériel pédagogique.

www.quebec-amerique.com

Visitez le site de
Québec Amérique jeunesse !

www.quebec-amerique.com/index-jeunesse.php

 GARANT DES FORÊTS INTACTES | L'impression de cet ouvrage sur papier recyclé a permis de sauvegarder l'équivalent de 28 arbres de 15 à 20 cm de diamètre et de 12 m de hauteur.

Achevé d'imprimer au Canada
sur papier Enviro 100% recyclé
sur les presses de Imprimerie Lebonfon Inc.